大人の「ひと言」ハンドブック

博学面白倶楽部

三笠書房

はじめに

その「ひと言」を添えられるかが、大きな差

誰かに近況を伝えたり連絡を取ったりしたいとき、あるいはお祝いの品を贈ったときなど、せっかくなら気の利いたひと言でも添えたい——。

そう思いながらも、言葉選びに迷ってしまい、筆が進まないという人は多い。

「相手の気持ちを汲んだ言葉が思い浮かばないし、かといって、ありきたりな定型文は無味乾燥な印象になってしまう。感じのいいちょっとしたひと言が添えられたら……」

そんな声に応えたのが本書。

相手の心に刺さる「ひと言」フレーズをさまざまなシーン別に例文とともに紹介している。

言葉に迷ったら本書を開いてほしい。フォーマルから少しカジュアルまで、気の利いた「ひと言」を多数そろえているので、すぐに使えるヒントが満載だ。

ひと言を添えられるかどうかで、相手の心証は大きく変わるもの。

お礼のメールでも、お願いごとでも、ご機嫌伺いの挨拶(あいさつ)でも、LINE スタンプひとつ送るときにも「大人のひと言」をさらりと書けるようになれること間違いなし。

博学面白倶楽部

もくじ

1章 シンプルだけど心に届く「メールの言葉」

2章 「ありがとう」に添えて好感度UP

3章 「プレゼント」とともにこんなメッセージ

4章 「お願いごと」のときに使いたい

「ビジネスシーン」で信頼につながるひと言

6章 教養としての「12カ月の書き出しと結び」

12カ月の書き出し

春・夏・秋・冬の挨拶文の結び

本書の使いかた

シーン
ビジネスから
プライベート
まで。

教えてもらったことへの感謝

良いお店の情報、悩みを解決するヒントなど、誰かに何かを教わったらそのまま放置しておかない。簡単でかまわないので感想や結果を感謝とともに伝えれば、相手はうれしいもの。

前に教わった恵比寿の「ABCバー」に友人と行ってきました。良いお店ですね。マスターに伊藤さんのことを話したら、いろいろサービスしてくれて感激しました。

★

自分が好きなお店は、信頼できる人にしか教えないもの。それだけに実際に訪問したあとには、どんなであったか本人に伝えたい。「居心地が良いお店」「とくに○○が美味しかった」といった表現が使える。

こんな「ひと言」アレンジも

様をお連
ご満足い

ほかの言い回し
相手に応じてアレンジしたバリエーションを紹介。

こんな「ひと言」アレンジも
友人に使えるこんな「ひと言」
もうちょっとカジュアルに
落ち着いた感じを出したいなら
もう少し丁寧に伝えたい

フォーマル度

★〜★★★まで。★の数が増えるほどフォーマルに。

本田さんに教わった汗対策、早速、実践しています。今日、クライアントを訪問したときも、滝汗の姿にならずにすみました。ありがとうございます！

★

外回りが多い仕事で「夏の暑さ対策」「梅雨時の対策」など先輩ならではのコツを教わったときなどに。
「実践しました」「おかげさまで、こんな結果が得られました」とセット にして伝えればOK。

「イカのうま辛炒め」、教わったレシピ通りにつくってみました！　家族にも大好評で「アンコール」の声。ありがとうございます。また教えてください。

1月の言葉

睦月（むつき）、初春月（はつはるづき）、南天、福寿草、冬木立（ふゆこだち）、あんこう鍋、ふぐ鍋、冬籠り、雪模様、雪暗、
上旬／新春、初春、初詣、門松、初夢、お雑煮、小寒・寒の入り（5日頃）、七草（7日）、松の内（1〜7日）
中旬／鏡開き（11日）、小正月・どんど焼き（15日）
下旬／大寒（20日頃）、奈良の若草山焼き（第4土曜日）、初天神（25日）

シンプルだけど心に届く「メールの言葉」　49

例文と解説
すぐに使える例とポイント解説。

時候の表現（6章）
12カ月それぞれその月に使える書き出しの言葉。

シンプルだけど
心に届く
「メールの言葉」

久しぶりにメールを送るとき

忙しい日々のなか、仕事でもプライベートでもつい疎遠になりがちな相手がいるもの。用事ができて久しぶりにメールするときは、連絡をしないまま間が空いてしまったことを埋め合わせるひと言を添えてみる。

心ならずもご無沙汰してしまい、申し訳ございません。

★★

「心ならずも」ということで、本当なら連絡したかったが時間がなくてできなかったとの気持ちを表現している。「久しくご無音続きで恐縮です」「久方ぶりとなってしまい、失礼しました」などという言い回しも。

もうちょっとカジュアルに

- お久しぶりです。連絡しようしようと思っていたら、忙しさにかまけて時が経ってしまいました。

昨夜、ワールドカップを観ていて、ふと佐藤さんのことが思い浮かびました。お変わりないですか。

★

「何かを見て、あなたのことを思い出しました」を皮切りに様子伺いをするパターン。用がなくとも連絡するきっかけを自らつくることができる。

相手の好きな花でも食べ物でも有名人でもOK。「赤とんぼを見かけて、田中さんの子どもの頃の話を思い出しました」「谷川さんの推しアイドルの結婚発表に落ち込んではいまいかと連絡しました」などと、相手の嗜好(しこう)と結びつけて広く活用できる。

ますますのご活躍を風の便りに聞いています。ぜひあやかりたいものだといつも思っています。

★

いつも忙しくしながら、成果を上げている人に向けてのフレーズ。「あやかりたい」とは、うらやましく思い、感化されて自分もそうなりたいという気持ちを表わしている。

近況をそれとなく尋ねるなら

相手の近況を尋ねるときに「最近どうですか」だけでは味気ない。季節の変化は、誰に対しても使いやすい話題。いきなり立ち入り過ぎることなく、個人的な質問を向けるのにもぴったり。

昨日、今年初めて半袖シャツを着ました。山田さんはもう半袖デビューしましたか。

★

「私はついに○○○しました。あなたはどうですか」と聞くパターン。「私は先週末、ようやく衣替えをしました。山田さんはとうに夏服でしょうか」「あまりの寒さに昨日、ダウンコートを引っ張り出しました。山田さんは防寒対策万全でしょうか」など、季節に応じてアレンジできる。

落ち着いた感じを出したいなら

- 本日は、今シーズンで初めて扇子(せんす)持参で出社いたしました。木下様は扇子をお使いになりますか。それとも団扇(うちわ)派でいらっしゃるでしょうか。

早くも店頭にタケノコが並んでいるのを目にしました。もうそんな時期なのですね。タケノコはお好きですか。

★

季節を先取りする食べ物を見かけたときに使える。実際に買って食べていなくとも、話題にして「もうそんな時期なのですね」と続ければOK。相手に好きかどうかを尋ねておくと、好みの把握（はあく）にも役立つ。
「近所の金木犀（きんもくせい）が咲き始め、とても良い香りです」「ミンミンゼミの声をこの夏初めて耳にしました」など、季節の花や昆虫なども題材にできる。

先週末、地域の夏祭りがあり、子どもとヨーヨー釣りを楽しみました。白井さんはお祭りに行かれましたか。

★

相手にも小さい子どもがいるとわかっているときなど、家族との外出や楽しんだことを話題にするのも手。プライベートをちょっとのぞかせることで、親しみを演出している。

プライベートの話で相手との距離を縮める

季節の変化や気候にからめて自分自身の話をすると、自然な流れでプライベートをのぞかせることができる。相手との距離を縮めるきっかけづくりに。

初雪の知らせが届くと、スノーボードが趣味な私はついそわそわしてしまいます。吉岡さんはスノーボードはお好きですか。

★

唐突に趣味の話をしては不自然だが、初雪の季節の到来とからめて自分のことを披露（ひろう）している。

相手も好きかと聞く質問を続けることで、「それなら一緒に行きましょう」という話に発展する可能性もある。

こんな「ひと言」アレンジも

- このところ暑い日が続くので、ペンギンやシロクマの動画を見ては涼感を得ています。けっこうハマっています。

寒さが募（つの）り、我が家の晩はとかく鍋になりがちです。宮本さんの料理はプロ級と伺いました。今度おすすめの鍋レシピを教えていただけると助かります。

★★

相手の得意分野や趣味の話につなげるように自身のプライベートをのぞかせ、「教えてほしい」「アドバイスがほしい」とお願いするパターン。

ほかにも例えば、「春から走り始めましたが、暑くなって少々めげております。ベテランランナーの宮本さんはどんな暑さ対策をなさっていますか」として、教えを仰（あお）ぐ形は使いやすい。

生まれが北海道の旭川ですから東京の寒さには動じないはずですが、この冬は正直なところまいっております。

★★

出身地を挙げて、寒さや暑さに強い、弱いと伝えるだけでも、その人の背景を垣間（かいま）見ることができ親近感がわいてくるもの。素直な気持ちの吐露（とろ）に人間味が表われているひと言。

雑談でしていた話をネタに

相手との距離を縮めるには、それまでのやりとりを踏(ふ)まえて、次につなげる意識が大切。雑談で聞いていた趣味を話題にすることで、相手が投げた球をしっかり受け止めた証(あかし)になる。

私は演劇については不案内なので、よろしければいろいろお教えください。

★★

取引先の担当者などの趣味が、自分にほとんど縁のないジャンルだった場合に使えるひと言。

冒頭「先日、お話しくださった演劇論はとても刺激的でした」と前置きして続けてもいい。

もう少し丁寧に伝えたい

- 後学(こうがく)のためにお教えいただきたいのですが、撮影の技術はいかにして磨かれたのでしょう。

この前の磯釣りの話、ほんと面白かった。また近々じっくり聞かせてよ。

★

プライベートで知り合った人との関係は、趣味を通すとさらに近づきやすい。つい熱をこめて語ってしまうような趣味に対して、相手が後日改めて興味を示してくれたら誰しもうれしいはず。

話を聞くにとどまらず、「今度、ついて行ってもいいかな」「ぜひ一度チャレンジしてみたい」と伝えるのもいいだろう。

秋元さんおすすめのドラマ「グッド・グッド」は実に痛快でした。あまりに面白くて先週末、一気見しました！

★

面白いと教えられたドラマや映画などを観たときは、簡単でも感想を伝えたい。「主人公のキャラクターが秀逸」「ストーリー展開が斬新」などと、具体的に面白さを表現できれば、なおGOOD。

旅行の様子を尋ねてみる

事前に旅行の計画を聞いており、旅行から戻ってきた頃にメッセージを送るなら、どんな旅だったか様子を尋ねるひと言を添えたい。相手に関心を持っていることが伝わる。

北海道旅行はどうだった？　子どもたちの笑顔が目に浮かびます。外せないスポットやおすすめの宿など、今度ぜひ教えてね。

★

家族ぐるみでおつき合いしているような友人に。家族に会ったことがない場合は、「お子さんも大喜びだったでしょう」と言い換えればいい。

情報がほしいと添えることで、「自分も行きたい」「うらやましい」という気持ちが伝わる。

もう少し丁寧に伝えたい

- ご旅行はいかがでしたか。豊かな自然のなかでリフレッシュされたでしょうか。

海外旅行は5年ぶりとのお話でしたね。異なる文化、風土など見聞きされたことを、ぜひ伺いたいものです。時差による体調への影響があると思いますのでご自愛ください。

★★

海外旅行であれば、日本と旅先の食べ物や文化の違いを尋ねるのは定番。「その国について聞きたい」と伝えて、相手の体験談を聞いてあげる気遣い（きづかい）がほしい。

もう少し具体的に問いかけるなら、「街の様子は日本とどこが違ったでしょうか。思わぬ発見があったでしょうか」としてもいい。

宮古島でのダイビングでは、どのような別世界をご覧になったのでしょう。お話を伺える機会を楽しみに、憧れ（あこが）をふくらませております。

★★★

ダイビングをする人なら「何を目にしたのか」、温泉が目当てなら「どんなお湯だったか」と、旅のいちばんの目的に合わせて感想を尋ねてみる。「憧れ」という言葉で羨望（せんぼう）の気持ちを伝えている。

出張から戻った相手に対して

出張から戻った人には、ねぎらいの言葉をかけ、どんな様子だったか感想や成果をひと言尋ねるくらいはしたいもの。何日か不在にしていた同僚に、そのことについてまったく触れないのは無関心に映ってしまう。

九州を短期間でまわる強行日程、お疲れさま！しっかり足跡を残したこと、課長の喜び方でわかったよ。

★

同じフロア、部署の同僚へのフレーズ。上司の反応を見て、成果を上げたことがわかったと伝える。

まだ契約などの形に至っていない場合は、「確かな手応えを得られたと聞きました」という表現が使える。

友人に使えるこんな「ひと言」

- 関西に出張すると話していたでしょう。お疲れさま。どんな収穫を得られたかな。今度、話を聞かせてね。

仙台は久しぶりだと伺っていましたが、コロナ禍（か）も経てやはり街の様子は変わっていたでしょうか。お時間のあるときに、ぜひお聞きしたいものです。

★★

何度も出張で訪れている街の変化について尋ねるフレーズ。定期的ないつもの出張であっても、「何か変わったところはありましたか」「何か新たな発見はありましたか」などと聞くことで、相手に関心を失っていないことを示している。

初めての北陸行脚（あんぎゃ）、首尾（しゅび）やいかに。内勤の身ゆえ、「出張」は新鮮な響き。お疲れさまでした。

★

初めての出張先について、成り行きや成果について、親しい相手に聞くフレーズ。自分が出張に縁がないからと「新鮮な響き」と表現することで、少しうらやましく思っていることを伝えている。

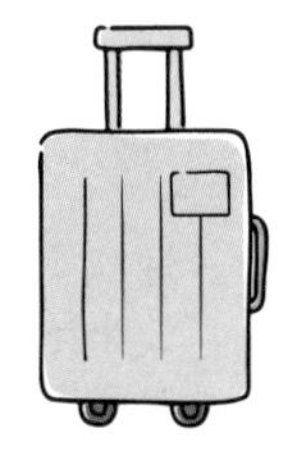

出張先／旅先から連絡を入れるときに

出張先から上司に仕事上の連絡を入れる場合でも、紋切型の印象にならないように、なにかしらひと言つけ足したい。いつもと異なる風景、土地柄、知らない人との交流などネタはたくさんあるはず。

稚内の日の出はなんと4時前です。早くから外が明るいと、自然と活動的な気分になるものです。あと3日、ベストを尽くします。

★★

日の出の早さに前向きな気持ち、意欲を結びつけたパターン。実際にはまだ寝ていても、ここは気持ちを言っているつもりで、この一文を。

日の出、日の入り、気温や日差しなど異なるポイントを挙げ、ポジティブな姿勢へとつなげるといい。

こんな「ひと言」アレンジも

- 地吹雪というものを初めて体験しました。どこを見ても白一色、何とも心許ない気持ちになりました。

清水寺の紅葉も少しずつ色づき始めました。明日は奈良に向かいます。

★

「書くことが浮かばない」と思ったら、こんなふうに季節の変化に翌日の予定を組み合わせることができる。

「○○駅前の桜が咲き始めました。明日昼過ぎまで頑張り、夕方には戻ります」「こちらはもう梅雨入りし、明日も雨の予報です。明日は隣町まで足を延ばします」というように、さまざまにアレンジできる。

行く先々で「遠いところをよくいらっしゃいました」と声をかけられ、ここは温かい土地柄だと感じ入っております。

★★

自分が受けた印象を表現したパターン。人からかけられた言葉、もてなしなど、印象に残ったことを伝えるといい。

例えば、「お店の人の土地の言葉はたいてい聞き取れませんが、どこかぬくもりを感じます」「気さくな方が多く、人見知りの私には驚きですが、学ぶところが多いと思い至りました」などということができる。

話に聞いていた
行事・イベントに触れる

ゴルフコンペのように相手が楽しみにしている予定、逆に気乗りしないとぼやいていた行事があったら、後日、どうだったか問いかけるのもいい。「話を覚えていて気にしてくれているな」とそれとなく相手に伝わるもの。

先週末のゴルフコンペはいかがでしたでしょうか。近いうちにぜひ詳(くわ)しくお聞かせください。

★★

ゴルフが好きで、コンペの様子などを話すのが好きな人に向けて。

話したくてたまらない人は、このメッセージだけでもうれしくなるはず。

友人に使えるこんな「ひと言」

- ゴルフコンペのために久々に練習したと言っていたけれど、どんな成績だったかな。

5月10日にルアーフィッシングの大会があると話していたことを思い出しました。自慢の腕を発揮できましたか。

★

親しい同僚や友人に。日付を出すことで「よく覚えていてくれた」とさらに印象がよくなる。

もう少し丁寧な言い方にしたい場合は、「……と話されていたことを思い出しました。ご自慢の腕を存分に発揮なさったのでしょうね」とすればいい。

先週末の接待ゴルフ、お疲れさまでした。朝早くからたいへんな1日だったでしょう。

★

別の部署の同僚が接待ゴルフに駆(か)り出された場合などに使える例。

ゴルフ好きでも接待では気を遣うことが多いため、ねぎらいのひと言を。

うまくいったと聞いていれば、「ご満悦だったと聞きました。良かったですね」「御一行様が喜んでいたと耳にしました。成功ですね」などと続けるといいだろう。

アポの確認をメールでするなら

アポイントを取ったらそれでOKとはせずに、確認メールくらいは出したいもの。その際、気持ちを伝える言葉を書き添えて印象をアップさせたい。

ようやく明日ですね。とても楽しみです。指折り数えて待っておりました。

★

ビジネスの場合は、電話やメールなどでやりとりを繰り返し、密にコミュニケーションを取ってきた相手に。

ようやく会えるといううれしさが、ストレートに伝わる表現。

もう少し丁寧に伝えたい

- 貴重なお時間をいただき、改めて御礼申し上げます。皆様とお会いできることを心待ちにしております。

交通機関や道順など、ご不明点がありましたらご案内いたします。どうかお気兼(きが)ねなくご連絡ください。

★★

前もって地図などを送ってあったとしても、慣れない場所では迷うこともある。「いつでもご案内いたします」と伝えておけば、気遣いが伝わる。

「少々わかりにくいところがありますので、駅までお迎えに上がります」「ご連絡いただければ、お迎えに参ります」などと申し出る方法もある。

明後日の午後は大雨の予報となり少々心配しております。お日にちを改めましょうか。

★★

約束の日時が大雨、台風などの予報と重なった場合、相手の意向を確認しておくのが本当の心くばり。

ビジネスでは「リスケ」という言葉がよく使われるが、これは略語でもあり、目上の人に対しては避けるのがベター。「リスケしたほうがよろしいでしょうか」と、せっかく気を遣ったつもりでもラフな感じは否(いな)めない。

会ったお礼をメールで送る

誰かと面会したら、ハガキで礼状を出すのが本来の礼儀だが、今日、そこまで大仰（おおぎょう）にする必要もないかもしれない。ただ、せめてお礼のメールくらいは、すみやかに出しておきたいもの。

川上さんのお話が楽しく、ついつい長居してしまい失礼しました。

★

予定よりも先方の時間を長く取ってしまった場合に。「時間が経つのも忘れてしまい、たいへん失礼しました」としてもいい。

親戚の家を訪ねたときなどは、「皆さんと過ごす時間が楽しくて、遅くまで居座ってしまいご迷惑ではなかったでしょうか」とアレンジできる。

もう少し丁寧に伝えたい

- まずは略儀ながら御礼かたがたご挨拶申し上げます。

お足元が悪いなかお越しくださり、誠にありがとうございました。

★

雨が降るなかを訪問してくれた人へのお礼フレーズ。「あいにくの天気のなかありがとうございました」とシンプルに言うのもいい。

また、夏の盛りなら「お暑いなか」、冬であれば「お寒いなか」とアレンジすればOK。

立て込んでいるなか時間を取ってくれて、ありがたい限り。感謝！

★

いろいろなことで忙しい友人が時間を取って、相談にのるなどしてくれた場合にひと言。

仕事や子育てなどでいつも時間に追われているような相手なら、「目が回るほど忙しいのに、時間を割(さ)いてくれてありがとう」といった表現でもぴったり。

頼みごとを引き受ける場合

同僚から「手を貸してほしい」「同行してほしい」などと頼まれたとき、友人から個人的なお願いをされたときなど、相手の気持ちを汲んだ表現にしたいもの。

いつもお世話になっている中西様のお望みとあらば、喜んでお引き受けいたします。

★★

「悪いけど頼まれてくれるかな？」などと遠慮がちに声をかけられた状況で使える言い回し。状況に応じて「ご指名とあらば」と言い換えてもいい。
「喜んで引き受ける」ということで、恩着せがましくなく自ら進んで受ける気持ちが伝わる。

友人に使えるこんな「ひと言」

● もちろん！　そんなこと聞くまでもない、当たり前でしょ。

私で務まるようでしたら、なんなりとおっしゃってください。

★★

自分がお役に立てるならと、かなりへりくだった言い回し。「私のような者でよろしければ」と同じ意味合いになる。

社外の人から「ちょっとお願いがあるんだけれど」などと言われた状況で使える。

困ったときはお互いさま。まわりは皆、応援してるよ。

★

テキパキと仕事を片付ける同僚が珍しく手助けを求めてきたり、大きな仕事を任されてたいへんだったりといった状況での言い回し。

「困ったときはお互いさま」は、どちらかが一方的にサポートするのではなく、ときに助け、助けられる関係を強調している。

「持ちつ持たれつだよ」「情けは人のためならず、というでしょう。お互いさまだよ」なども活用できる。

頼みごとを断る場合

お金の貸し借りをはじめ頼みごとを断る際は、「嫌だ」という感情ではなく、「どうしてもできる状況でない」ことを伝えるのがコツ。

事情を伺って胸が痛みますが、現状ご要望に添えそうもありません。

★★

取引のある会社から「資金を貸してほしい」「支払いを待ってほしい」といった依頼があった場合に。相手の窮状を思いやりつつ、断らざるを得ないと伝える。
「貴社のご事情はお察ししますが、社の方針でいかんともしがたい状況です」などの言い方も活用できる。

こんな「ひと言」アレンジも

- 以前から世話になっていながらとても心苦しいのだけれど、どうか勘弁してください。

永井さんのお役に立ちたいのはやまやまですが、こちらもまったく余裕がない状況でして。

★

借金の依頼を断る際によく使われるフレーズ。
「やまやまですが」という表現により、「できることならそうしたい」との気持ちを表わしている。
あるいは「恥ずかしながら、こちらもギリギリで」「正直言ってこちらも火の車状態なので」という言い方もできる。

あいにくかねてより出張の予定がありまして、臨席することがかないません。失礼をお許しください。

★★

以前からの予定を理由にして出席できないと断る場合に。「あいにく」は「残念ながら」「たいへん残念ですが」などと言い換えることもできる。
本当に残念な場合は、これに続けて「次の機会がありましたら、ぜひ参加させてください」「どうかまたお誘いください」とフォローしておくといい。

小さな行き違いがあったら

ちょっとした行き違いでも、そのままにせずきちんと思いを伝えておいたほうがいい。「こちらの言いたかったことがわかっている」と相手が感じ取れば、信頼を育（はぐく）むきっかけにもなるだろう。

「その節は申し訳ございませんでした。中島様のご指摘は社内で共有し、今後に役立ててまいります。

★★

行き違いの原因が相手の誤解でも、「書き方が紛（まぎ）らわしい」「説明がわかりにくい」などとクレームをつけられることがある。

何かの折にメールを送ることになったら、このようにひと言添えておくだけで、自分の忠告に真摯（しんし）に向き合ってくれていると、相手は感じるもの。

友人に使えるこんな「ひと言」

- この前は失敬。言葉が足りなかったと反省している。

先日は、行き届かずたいへん失礼いたしました。横山様はどうしていらっしゃるかと部長の山本も非常に気にしております。

★★

得意先の機嫌を損(そこ)ねてしまったあとの連絡で使える言い回し。

すでにお詫(わ)びして解決をみていたとしても、申し訳ないという気持ちを持ち続けていることが伝わる。

自分の上司が気にしているということで相手のプライドをくすぐるひと言。

私の不勉強でご迷惑をおかけしました。今後は二度と繰り返さないよう精進いたしますので、よろしくお願い申し上げます。

★★

お詫びの定番フレーズ。原因は自分の不勉強だったとして、これからの決意を示している。

また「勉強不足で申し訳ありませんでした」「私が至らないばかりにたいへん失礼いたしました」などと言い換えることもできる。

返信は不要と伝える場合

1日に受信するメールが増え、返信するだけで相当な時間を割いている人もいる。単純な連絡事項、情報の伝達で返事が不要な場合は、最後にひと言つけ加えると、相手の負担を軽減でき、気遣いを見せられる。

ご返信のお気遣いなく。

★

相手が同僚や友人なら、この短いフレーズで返信の必要はないと伝えられる。

上司や社外の人に対しては、もう少し丁寧な表現を使いたい。「お返事につきましては、どうぞお気遣いなくお願いいたします」「ご返信にお気を遣われませんようお願い申し上げます」と言い換えればいいだろう。

友人に使えるこんな「ひと言」

- わざわざ返事はしなくてOK。会ったときに、たっぷり話しましょう。

変更などないようでしたら、お返事は無用です。

★★

親しい間柄であれば「変更がなければ返事は無用」でもOK。状況に応じて、「とくに問題がなければ」「修正の必要がなければ」などと使い分けもできる。

また、もう少し丁寧な言い方にしたいのなら、「ひと通りご確認いただければ、ご返信には及びません」「目を通していただければ、ご返信いただかなくてかまいません」などが使える。

ご都合が悪い場合のみ、ご返信ください。

★★

職場の懇親会、友達との食事会などの連絡で使えるフレーズ。幹事をする側も全員からの返事を受け取るより負担が少なくてすむ。

年上の人が相手で丁寧な言い方が求められるなら、「ご都合が悪いようでしたら、ご一報ください」「お手数ですが、ご都合が悪い方はお知らせくださいませ」という言い回しがある。

「受け取りました」の連絡

取引先の担当者や同僚から書類などを受け取ったときは、「受領しました」だけでなく、なにかしらプラスしたいもの。素(そ)っ気(け)ない事務的なやりとりで終わらず、以降も続く関係を育みたいという意思表示を。

社内報の原稿をありがとうございました。さすが鈴木さん、わかりやすく新商品を説明してくださり、なるほど！　と腹に落ちました。

★

お礼に続けて、受け取ったものをほめるパターン。「うまく書けてますね」「上手で驚きました」では、いかにも評価しているようで上から目線に受け取られかねない。具体的にどこが良かったかを伝えるのがポイント。

友人に使えるこんな「ひと言」

- キャンペーンのお知らせ、ありがとう。がぜん興味がわいてきました。月内に利用しようと思います。日にちが決まったら連絡するね。

請求書を受領いたしました。近いうちに慰労と親睦を兼ねた一席を設けたいと考えています。まずは御礼申し上げます。

★★

仕事がひと区切りつき、請求書が送られてきたときに添える言葉。「慰労と親睦を兼ねた席を設けたい」とひと言入れることで、再び仕事をしたいという気持ちを伝えることができる。

無事終了とのお知らせ、ありがとうございます。落ち着いた頃に、お食事でもいかがですか。徳田さんのお話を伺って、勉強したいと考えております。

★

他部署の仕事を少し手伝ったとき、あるいはメインで動かした人たちのサポート役を果たしたときなどに。有能な先輩、またプライベートでも憧れの人などと親しくなりたい気持ちを乗せている。
「徳田さんのお話には学ぶことが多く、いつも感謝しております」と言い換えてもいいだろう。

教えてもらったことへの感謝

良いお店の情報、悩みを解決するヒントなど、誰かに何かを教わったらそのまま放置しておかない。簡単でかまわないので感想や結果を感謝とともに伝えれば、相手はうれしいもの。

前に教わった恵比寿の「ABCバー」に友人と行ってきました。良いお店ですね。マスターに伊藤さんのことを話したら、いろいろサービスしてくれて感激しました。

★

自分が好きなお店は、信頼できる人にしか教えないもの。それだけに実際に訪問したあとには、どんなであったか本人に伝えたい。「居心地が良いお店」「とくに○○が美味(おい)しかった」といった表現が使える。

こんな「ひと言」アレンジも

- ご紹介くださった「美食亭」にお客様をお連れしたところ、料理、サービスともご満足いただき、たいへん助かりました。

本田さんに教わった汗対策、早速、実践しています。今日、クライアントを訪問したときも、滝汗の姿にならずにすみました。ありがとうございます！

★

外回りが多い仕事で「夏の暑さ対策」「梅雨時の対策」など先輩ならではのコツを教わったときなどに。
「実践しました」「おかげさまで、こんな結果が得られました」とセットにして伝えればOK。

「イカのうま辛炒(いた)め」、教わったレシピ通りにつくってみました！　家族にも大好評で「アンコール」の声。ありがとうございます。また教えてください。

★

料理が得意な人からレシピを伝授されたときに。味について細かくコメントしなくとも、「家族にも好評」と表現すれば、喜ばれたことがわかる。
お酒の楽しみ方なども「ぬる燗(かん)の良さを教えてもらい、すっかりハマってます。また近いうちに飲みましょう」というように添えれば、距離を縮めるのに役立つはず。

体調が悪そうな相手には

同僚や友人の様子が明らかにいつもと違っているときは、気遣う気持ちを文字にして伝えるのもいい。相手と自分の状況を考えて、手助けすることもできると伝えたい。

無理難題が続いているようでストレスレベルはいかに。仕事は代われなくても、話ならいつでも聞きます。

★

難しい問題、きつい状況が続いてストレスがたまっている同僚や友人に使うフレーズ。

相手の状況と心情、体調などがどんなであろうかと思いを巡(めぐ)らせる言い回し。「あんまり頼りにならないでしょうが、なんでも話してね」も使える。

落ち着いた感じを出したいなら

- 連日の残業でお疲れではないでしょうか。どうかお大事になさってください。

毎日、頑張っていて本当にお疲れさま！　あまり調子が出ないときは無理せず早めに帰って休んでね。

★

毎日忙しく、残業も多い同僚や友人の体調を気遣うフレーズ。「なんとなく元気がない」「体調が悪そう」という状況で使える。
「体調が良くないときは」「具合が悪いときは」とストレートに表現してもいいだろう。

出すぎたことかもしれないけれど、どことなく芳しくない様子でちょっと心配……。役に立てることがあったら、遠慮なく言ってください。

★

冒頭の部分は「お節介かもしれないけれど」「ぶしつけかもしれませんが」などと言い換えることもできる。
「芳しくない」とは、良くない状態を表わす言葉。さほど親しくない相手の場合、「顔色が悪い」といったストレートな表現よりは、少しやわらげた言葉のほうが受け入れられやすい。

休んでいた同僚や友人が復帰したら

病欠した本人は職場の人たちに迷惑をかけて申し訳ないと思っているはず。ここは仕事の話はいったん横に置いて、相手の体調を気遣う言葉をかけることを考えたい。

インフルエンザでたいへんでしたね。遅ればせながらお見舞い申し上げます。本調子に戻るまでは、どうか十分にお気をつけください。

★★

インフルエンザに感染してしばらく休んだ相手に。病欠中にメッセージを送るほど親しくない相手なら、「遅ればせながら」とお見舞いの気持ちを伝えるのも手。

仕事の遅れを取り戻そうと焦る気持ちを汲んで、まずは体調に気をつけるように気遣っている。

友人に使えるこんな「ひと言」

- いつもエネルギッシュな小島さんがインフルエンザと聞き驚きました。無理は禁物、しばらく大事に過ごしてくださいね。

お加減いかが。どうか無理せず、焦らず、完全復活を第一に考えてください。私にできることがあればなんなりとサポートします。

★

まずは、体調や病気、ケガの具合などを聞いて、無理しがちな点を気遣い、手伝いを申し出る言葉へとつなげている。

もう少し丁寧な言い方として「大事なお体です。どうか無理はなさらないようお願いいたします」などがある。

1日も早いご本復を祈っておりました。本日、元気なご様子を拝見し、ほっと安堵(あんど)いたしました。

★★

数週間、数カ月の療養から復帰した上司、年上の知人などへのメッセージ。本人が不在のあいだ、業務に支障がなかったとしても、「仕事は大丈夫ですから、ゆっくりお休みください」と言ってしまっては、本人の立つ瀬がない。「お戻りを皆、首を長くしてお待ちしておりました」と言い添えて、歓迎の気持ちを伝えるべき。

頑張った同僚や友人をねぎらう

難しい仕事を成し遂げた同僚や友人には、ねぎらいのひと言を送りたい。相手との関係、状況に応じて頑張ったことをほめて、敬意の表わし方を工夫する。

目覚ましい活躍だったね。お疲れさま！　ひと息ついてください。

★

同僚や友人に幅広く使える言い回し。できれば冒頭の部分に「今回のABZの案件では」というように、具体的に何についての事柄かを入れ込むといい。

最後の部分は「今週末はゆっくり休んでください」「息抜きがてら、ご飯でも一緒にどう？」などと、相手や状況に合わせてアレンジを。

こんな「ひと言」アレンジも

- 先輩、やりましたね。社内でも評判です。部長も感心しているとの噂(うわさ)です。

吉野さんに任せて大正解だった。問題が山積みのなか本当によく頑張ったね。

★

仕事を指示した部下や後輩へのねぎらいの言葉。「あなたに任せて正解」という表現に、その人への信頼、評価が表われている。このように評されてうれしくない人はいないはず。

また「奮闘してくれて皆感謝している」「大成功だよ。苦労の甲斐（かい）があったね」などと言い換えてもいい。

なんて素晴らしい！　期待を上回る成果を上げるなんて、私も鼻が高いな。

★

仲のいい同期や友達に。大きな功績だった場合は「期待をはるかに上回る」と強調するといい。

「私も鼻が高いな」というのは、その人に近しい人間として誇らしく思うということ。

「同期として誇らしい」「同級生として誇らしく思う」なども使える。

休暇に入る前に
ちょっとしたやりとり

さほど頻繁(ひんぱん)にやりとりしない相手であっても、大型連休やお盆休みの前にメールを送る機会があったら、そのタイミングならではの前向きな言葉を添えたい。

黄金週間はカレンダー通りのお休みですか。ご家族とのお出かけプランを立てていらっしゃるところでしょうか。連休はやっぱり楽しみです。

★

相手が子ども連れでの外出、旅行をよく楽しんでいる場合の例。ただ、家族構成などを知らない人には避けたほうがいい。

毎年、家族で旅行に行くと知っていれば、「今年はどちらにご旅行でしょうか」、ひとりで海外に出る人なら「海外ツアーでしょうか」などが使えるだろう。

もうちょっとカジュアルに

- ゴールデンウィークはすでに予定がいっぱいかな。まだ空きがあったら、美味しいものでも食べに行きましょう。

どうぞ心置きなく夏休みをお楽しみください。

★★

自分は休めないが相手は休む場合や、交替で休みを取る職場などで使える言い回し。「心置きなく」とは気兼ねや遠慮なくという意味。

また「楽しい休暇になりますように」「待望の夏休み、思い切り満喫してください」などのフレーズも使える。

誠に恐縮ですが、私は16日(水)までお休みをいただきます。ご不便をおかけしますが、リフレッシュして戻ってまいりますので、どうかご容赦ください。

★★

取引先などへのメールに。会社の休暇について事前に知らせておいたとしても、直前に改めて念押ししておくと安心。

冒頭の部分は「誠に恐れ入りますが」「誠に勝手ながら」としてもいい。

もう少しカジュアルに表現したいなら「元気百倍になって戻り、すぐにご挨拶に上がります」といったアレンジも可。

台風、地震などの影響について尋ねる場合

台風、地震、豪雨など災害が起きたエリアにいる人とやりとりする際は、お見舞いのひと言を添えたい。「知らなかった」では話にならないので、日頃からニュースくらいはチェックを。

静岡県東部の台風被害を伝える報道に触れ、心配になりました。皆様のご無事をお祈りしています。

★★

相手の住む地域、会社の所在地が実際にどれほど被害を受けているかわからない場合の例。
「まず大丈夫だろう」ということはわかっていても、気遣いは伝えたいもの。
心配している点を強調したいなら、「もしやと気がかりで連絡しました」という言い方も使える。

もう少し丁寧に伝えたい

- 被災された皆様に心よりお見舞い申し上げます。1日も早い復旧をお祈り申し上げます。

昨日の豪雨のすさまじさを物語る映像に驚いています。たいへんな思いをされたのでしょうか。何かお役に立てることがありましたら、なんなりとお声がけください。

★★

避難指示が出た地域に、相手の自宅や会社がある場合などに様子を伺うパターン。

「さぞかし心細い思いをされたことでしょう」「ご心労はいかばかりかとお察しします」なども活用できる。

支援したいという申し出なら「こちらでできることがありましたら、なんなりと承ります」と言い換えてもOK。

この度(たび)の大地震の被害には胸がふさがる思いです。ご実家はどのような状況でしょう。時間に余裕ができたら連絡ください。

★

実家が被災地にある人に送る言葉。

本人が復旧に奔走(ほんそう)していることを想定し、できるときに連絡をくれればいいと言い添えて、気遣いを示している。

何か話題がほしいときに

どんなときでも、相手の地元の話題について質問をするパターンは使える。名所や人気スポットを下調べしておけば、「何かひと言プラスしたい」というときに便利。

貴社は縁日で有名なお不動様のお近くなのですね。テレビで観て、一度訪れたいと思いました。次回お会いしたときにでも、ぜひお話を。

★

相手のオフィスのあるエリアの名所が神社仏閣で縁日が名物という場合の例。「○○祭りで有名な△△寺」とすれば広く活用できる。

どんな様子か聞かせてほしいと伝えておくと、次回、対面したときにも話題づくりに困らないだろう。

落ち着いた感じを出したいなら

- 永代橋が架かる隅田川の景色は趣（おもむき）がございます。中村様は花火大会にはおいでになりますか。

自宅が駒沢公園の近くだなんて、うらやましい！のんびり散策？　それともアクティブなランニング？　よかったら今度、ご一緒させてね。

★

自宅近くの有名スポットについて話をふくらませるパターン。

「うらやましい！」とストレートに言いづらいなら「良いところにお住まいですね」とすればOK。後半部分を控え目にとどめるなら、「今度、話を聞かせてね」と言い換えればいい。

赤城山（あかぎやま）はもう冠雪でしょうか。本格的な冬の到来に山の景色が美しさを増していることでしょう。

★★

山の景色を望む町であれば、季節による変化を問いかけるパターンが便利。

春には「もう雪解けの頃でしょうか。新しい生命が芽吹いていることでしょう」と言い換えられる。夏なら登山、秋なら紅葉についての質問などが考えられる。

相手の自宅やオフィスのことを話題に

さしたる話題がない相手には、人気の飲食店に目を向けてみる手もある。相手の家や会社の近くにある人気店を話題にするパターンも使いやすい。相手と自分のあいだに橋を架けるつもりで、アプローチを考えたい。

御茶ノ水駅のすぐ近くにできたラーメン店が人気沸騰（ふっとう）中ですね。昼時は長い行列ができると聞きましたが、もう食べてみましたか。

★

ラーメン好きなら新しいお店、人気のお店の話題を追っているはず。相手のオフィス近くに気になる店があれば話題にしやすいだろう。

相手もこちらがラーメン好きとわかれば、話しやすくなるはず。

こんな「ひと言」アレンジも

- 貴社のお近くには、美味しい蕎麦（そば）店が何軒もあると伺いました。行きつけのお店を、ぜひ教えていただければうれしいです。

事務所は、おしゃれなエリアにあるのですね。セレブ御用達（ごようたし）のサロンやショップが多いとの情報をキャッチしました。一度、遊びに行ってもいいですか。

★

「おしゃれなエリアで興味津々（しんしん）」として、訪問の機会を得るパターン。

「再開発された近未来的なエリア」「昔ながらの風情と情緒のある地域」など、土地柄をチェックしてアレンジできる。

今は昔、学生時代には神保町の丸一食堂によく通ったものです。無口だけれど優しい大将が懐（なつ）かしい。もうそのお店は姿を消してしまったのでしょうか。

★★

かつて馴染（なじ）みがあった地域に、相手の住まいや事務所がある場合に。自分の昔話を開示することで、親しみを演出している。

特定のお店の話題がなければ、「学生時代にはよく古書店巡りをしました。ずいぶん様子が変わったのでしょうね」などと街の変化について尋ねる方法もある。

流行、ニュースについての感想を添えて

流行(はや)りのものを体験した話、ニュースで取り上げられた話への感想などは、対面での世間話と同じく無難な話材になるので便利である。

かき氷はお好きですか。先日、大人気のかき氷店の行列に並び、ついに食べてみました。粉雪と思えるほどやわらかくてびっくりしました。

★

はじめに相手の好みを聞いてから、最近の体験と感想を簡潔に伝えているパターン。

何か気の利いた表現を探そうとするより、素直な気持ちをそのまま伝えるのもあり。

こんな「ひと言」アレンジも

- 生ドーナツを召し上がったことはございますか。先日、スタッフにすすめられて食しましたら、まるでホイップクリームのようにふわふわで、初めての食感でした。

ここのところ猫ブームが続いていますが、内田さんは猫派、犬派どちらでしょう。私はどちらかというと犬派です。ついつい犬グッズを買ってしまいます。

★

犬派か猫派かを尋ね、自分はどちらであるかを明かすこのフレーズは、幅広く活用できる。

ペットがいるなら、「私はチワワと暮らしています。愛くるしい目で見つめられると疲れが吹き飛びます」など、種類やチャームポイントなどを伝えるのもいいアイデア。相手もペットについて明かしてくれれば、その後の挨拶でも話題にできる。

最近、グミがブームだそうですね。私は低迷しているガムを応援すべく、毎日、根気強く嚙(か)んでいます。

★

ユーモアを利かせた例。アンチの立場として「○○がブームだそうですね」と距離を取り、自分が支持しているものを挙げている。相手も思わずコメントしたくなるフレーズ。

また、「新製品を見つけては試してみるのが最近の楽しみとなりました」などと、楽しんでいる様子を表わしてもいい。

そのひと言に、気持ちを乗せるコツ①

気軽に送れるメールには落とし穴がある

メールのやりとりで距離を縮めるには、**相手を主役に立てる**ことを意識する。

例えば、あれもこれも伝えたいからと長々と書くと、受け取るメールが多い人や忙しくしている人には負担でしかない。ここはコンパクトにまとめたい。とくにビジネスメールでは、スクロールしないで読める長さを意識したい。**最後に添えるひと言も、ひと呼吸で読める分量**くらいにとどめよう。

読みやすくする工夫も大切。**一文は短くして、適当なところで改行する**。３～５行くらいで１段落として１行空けるようにしていくと見やすい。

また、親しい相手でも、自分の感情が出すぎていたり、乱暴な言い回しになっていたりしないか、今一度チェックしたい。

とかく気軽に出しがちなメールだが、その後もずっと履歴が残るということを忘れないように。

「ありがとう」に添えて好感度UP

手土産をもらったとき

手土産（みやげ）は単なる儀礼的なものと受け止めず、相手の気持ちを考える。ビジネスシーンでのご機嫌伺いであっても、こだわって選んでくれた品物には、その感謝を丁寧に示すことが大切。

いま大評判のスイーツをありがとうございました。鈴木様のお心遣いに感謝しながら皆でいただき、「感動的！」「衝撃的！」と大喜びしております。

★★

わざわざ時間をかけて買いに行ったり、行列に並んだりしたことがわかる場合、相手のかけた手間に合わせて、少し大げさなくらいに喜びを伝えるといい。

友人に使えるこんな「ひと言」

- まさかあの話題のお菓子を味わえるなんて！美味しくて涙が出そうなんだけど。

本日はコーヒーをいただき、ありがとうございました。日本に上陸したばかりの話題のブランドを味わうことができて、社内はこの話題で持ちきりです。

★★

いわゆる差し入れとして、飲み物や食べ物をもらうこともあるだろう。

珍しいもの、目新しいものであれば、それに対するリアクションを示したい。「このように美味しいお店ができていたとは知りませんでした」といった反応でもいい。

本日は、センスの良い花束をありがとうございました。私も娘も大好きなオレンジのガーベラが入っていて喜んでいます。さっそく食卓に飾り、眺めて楽しんでいます。

★

家に遊びに来た客が手土産として花束を持ってきてくれたときのお礼の例。

好きな花の名前や色、どう楽しんでいるかを伝えるのがコツ。

旅行先のお土産をもらったとき

土産物は限られた時間のなかで探してくれたもの。品物そのものだけでなく、時間と手間をかけてくれたことへの感謝も伝わるひと言がほしい。

グルメなお土産をいただき、感激です。目を閉じて北海道の牧場を思い浮かべながら、味わっています。楽しい旅のお話をぜひまた、ゆっくりとお聞きしたいです。

★

旅先に思いを馳(は)せつつ、お土産を喜び、楽しんでいると伝える言い回し。
どんな旅だったのかに興味を示し、話を聞きたいと言い添えることで感謝の度合いを強調できる。

落ち着いた感じを出したいなら

- 赤城様のお心くばりと北海道グルメの美味しさに感動しております。ぜひともお会いして、思い出話をお伺いしたいと願っております。

「おしゃれなペンをありがとう！　スウェーデンはやはり洗練されたデザインであふれているのでしょうね。早速ペンケースに入れました。大切に使います。

★

同僚や友達がちょっとしたお土産として小物を皆に配ったときのお礼。
旅先の土地柄、その品物を選んだ理由を考え、「大切にする」と伝えているのがポイント。

「マカデミアナッツチョコレート、ありがとう。日焼けした顔とイキイキした瞳から、どれほどハワイをエンジョイしたかが伝わり、私まで元気をもらった気分。

★

職場の先輩や友達からの定番のお土産にも、丁寧にお礼を言いたいもの。
ときには、相手のリフレッシュした様子をうれしく思う気持ちを伝えるのもあり。

誕生日にケーキや花を贈られたら

職場や友達の集まりなどで、誕生祝としてケーキや花などが用意されていたら、やはり一人ひとりにお礼を伝えたいもの。

誕生日に思いがけずケーキをご用意いただき、そのお気持ちがありがたく、胸に沁(し)みました。課長のご期待に沿えるようこれからも努めます。

★★

上司がポケットマネーでサプライズのケーキを用意してくれたときのお礼。

部下を励ます意味合いを汲み取り、これからの期待に沿えるよう努めると伝えるパターン。

友人に使えるこんな「ひと言」

- サプライズのケーキは、まさにサプライズ！ みんなの気持ちがうれしくて胸がいっぱい。ありがとう！

手作りのケーキをいただけるとは、私はとてもラッキーでした。パティシエのような出来栄えとお味に、感動しきりでした。夫も「絶品」と感嘆しておりました。

★★

近所の知り合い、サークル仲間などから手作りケーキを贈られたときのお礼。

相手が年上なら、丁寧さを意識しながらも少し大げさに感謝を示したい。

華やかな花束を受け取り、とても幸せな気分になりました。窓辺に飾り、じっと眺めてはうれしさをかみしめているよ。

★

贈った人が恋人やパートナーであれば、最後を「じっと眺めてはあなたのことを考えています」「ふたりの未来に思いを馳せています」などと添えてもいい。

思いもよらない贈り物を受け取った場合

お中元やお歳暮といった挨拶に限らず、「以前、好きだと言っていたから」「お願いごとに応えてくれたから」といった理由で贈り物をいただくこともある。状況に合ったお礼の言い回しを工夫したい。

先日、話題にのぼった日本酒が届きました。このような心くばりをいただくなんてびっくりです。じっくりと味わってから、再びの日本酒談義をぜひ。

★

会話のなかで出た品物を「ぜひ試してみて」と贈ってくれたときのお礼の言い回し。実際に試してみたあとの感想も伝えると喜ばれる。

もう少し丁寧に伝えたい

- 高橋様のこまやかなお気遣いに恐縮しております。これまでにない感動的な味わいでした。厚く御礼申し上げます。

立派な巨峰(きょほう)が届き、家中大騒ぎとなりました。はやる気持ちを抑えて少し冷やしてから、さわやかなお味を楽しみました。心より感謝申し上げます。

★★

自宅に美味しいものを送ってくれたときのお礼。受け取ったときの反応を「家中大騒ぎ」と、少し大げさに表わすのがコツ。気持ちがより伝わりやすい。

北海道の新鮮な海の幸をありがとうございます。早速、バーベキューと決め込み、存分に楽しませていただきました。子どもたちも大はしゃぎです。

★

「家族で楽しめるように」と贈ってくれた人の気持ちを汲み取ったお礼のひと言。どんなふうに楽しんだか様子を伝えると、リアリティが出ていい。

借りたものを返す際に

最近では本を貸し借りする機会はめっきり減ったが、それだけに本が持つ意味合いを考え、貸してくれた人にはきちんと敬意を払うようひと言には気をつけたい。

部長が「読んでみるといい」と言った意味が、読み進めるにつれ、ひしひしと身に沁みて伝わってきました。お気持ちに応えられるよう励みます。

★★

職場の上司からすすめられた本を返すときの例。

ビジネス書など日々の業務や仕事への取り組み方に関わる内容の場合、相手の気持ちを汲み取ったことを明確に伝えるのがポイント。

友人に使えるこんな「ひと言」

- さすが読書家のユウさん。こんな本を知っているとは！　著者の言葉に目から鱗（うろこ）が落ちる思いでした。

大切なご本をお貸しいただき、ありがとうございました。さすが清水さんのおすすめ作品、最後までわくわくしながら読み通しました。また面白い本を教えてください。楽しみにしています。

★

「歴史小説が好きなら、これも読んでみたら？」などとすすめられ、本を貸してくれた先輩や知人などへのお礼。また教えてほしいと添えることで、感謝を強調している。

たいへん参考になりました。おかげさまで今後に役立てることができそうです。ありがとうございます。お返しするのが遅くなって申し訳ありませんでした。

★★

「この本を読んで、ためになった」と伝えるお礼の例。
いつまでに返すと約束していなくとも、しばらく時間が経過していたら「遅くなった」とひと言つけ足しておくといい。

資料を送る手間を
かけてもらったときに

職場で資料を送ってもらったときは、相手が社内の人か社外の人かを問わず、ひと言お礼を伝えたい。紙ではなくデータであっても、手間をかけてくれたことに変わりはない。個人的な資料の取り寄せも同じこと。

本日、お願いしていた資料を拝受しました。ご多用のところ早々にご対応くださり、感謝申し上げます。

★★★

相手がほかの仕事の手をとめて、すぐに対応してくれたことに対して感謝を述べる。こちらもできるだけ早くお礼を返したい。

資料が届くのに時間を要した場合は、「早々に」を削ればOK。

こんな「ひと言」アレンジも

- パンフレットのご送付、ありがとうございます。豊富に選択肢があると教えていただき、たいへん助かりました。

先ほど、ABC案件の関連資料ファイルを受け取りました。急なお願いにもかかわらず、お聞き届けいただき、ありがとうございます。とり急ぎ、御礼のみ。

★

勤め先の別の部署の人に、関連資料を借りたいと急に頼んだ場合の例。

よく知らない相手であれば、丁寧に伝えたい。「ご無理をお願いして申し訳ありませんでした」としてもいい。最後は「ひと言お礼まで」と言い換えることもできる。

先ほどは資料をお持ちいただき、厚く御礼申し上げます。本来なら私が伺わなければならないところをご足労（そくろう）いただき、恐縮しております。

★★★

わざわざ職場まで資料を持ってきてくれた人へのお礼。

返却の必要があるものを借りた場合は、最後に「お約束どおり、今月内にご返却します」などとつけ加えれば、相手に安心感を与えることができる。

相談にのってもらった相手に感謝を

信頼している人に相談し、アドバイスをもらったときは、まずお礼を述べて、結果が出たら報告すること。時間をとって親身になってくれたことへの感謝を伝えたい。

昨日は、私のために時間を割いてくださり、心より感謝しております。課長の助言で暗い気持ちに光が差し込み、進むべき道が見えてきたように思います。

★★

すぐに結果が出なくとも、話すだけで良い方向に進むことは多いもの。
「悩んでいたけれど何とかなりそうな気になってきた」という場合に使えるお礼の表現。

友人に使えるこんな「ひと言」

- 今日は、長々と話を聞いてくれてありがとう。おかげで踏ん切りがつけられそうです。友情に感謝。

先ほどは、優しい励ましの言葉に胸が詰まりました。本当にありがとうございます。後ろ向きだった気持ちから前向きな気持ちへと切り替えられそうです。

★★

元気のない様子を見かねて声をかけ、話を聞いてくれた人へのお礼。

状況によっては、「失敗も成長の糧(かて)になると信じて前を向きます」「少し気にしすぎていたのかもしれません」などの言い回しも使える。

貴重なアドバイス、ありがとうございました。しっかりと胸に刻みました。のしかかっていた重しがとれたようで、昨夜は熟睡できました。これからも相談にのってください。感謝しています。

★

いざというときに頼りになるメンターには、「今後もよろしく」と伝えておくのも手。

「また相談にのってください」「また話を聞いてもらえると、ありがたいです」などと言い換えても、信頼している気持ちが伝わる。

ご馳走になったお礼に

人からご馳走(ちそう)になったときは、店の雰囲気や料理など印象的だったところを具体的に伝えるのがいい。相手が喜ばせたい、楽しませたいと考えてくれたことへのお礼、会話の内容などにも触れるとGOOD。

本日は、ご馳走さま。さすがグルメの小野さん、隠れた名店を教えていただき感動しました。明日の活力源になるひとときでした。

★

早速、帰り道にメッセージを送るか、その日のうちにハガキを出す場合に使える。

味について書くなら「口に運ぶにつれ、身体が喜んでいるのがわかりました」「伝統に裏打ちされた奥深い味わいでした」など。

こんな「ひと言」アレンジも

- ゆうべはありがとう。とても美味しかった。あんなおしゃれなレストランを知っていたなんて！　楽しいひとときを過ごすことができました。

昨夜は、すっかりご馳走になってしまいました。本格的な四川(しせん)料理は初めてで、スパイスの妙が実に刺激的でした。楽しいお話に時間も忘れていました。ありがとうございました。次回は、ぜひ私にご馳走させてください。

★

打ち合わせや集まりなどの流れでご馳走になったときのお礼。初めてのジャンルの料理なら、どんな発見、驚きがあったかを添える。

対等またはそれに近い関係なら「次は私が」と言い添える。「次は、驚いてもらえるお店に私がお連れします」としても。

昨晩は、身に余るおもてなしをいただき、深く御礼申し上げます。名店の料理は五感で楽しむものと感じ入りました。貴重なお話を伺えたことにも感謝しております。ありがとうございました。

★★★

ビジネスでおつき合いのある相手から接待を受けたときのお礼の言い回し。

できるだけ丁重な対応が求められる相手なら、メールではなく、やはりハガキを出したいところ。

招かれたパーティに出席したあとで

仕事関係でもプライベートでもパーティに招かれたら、お礼のひと言は忘れないようにしたい。できれば翌日までに送りたい。楽しかったことを具体的に記すのがベスト。

昨夜のクリスマスパーティは大盛況でしたね。土屋さんのマジックの腕前には脱帽しました。お料理もワインも美味しくて、日常を忘れ、大いに楽しませてもらいました。ありがとうございます。

★

親しくおつき合いしている人が主催したパーティに招かれたときのお礼の例。

食べ物、飲み物に加え、余興(よきょう)やゲームなどの感想も交え、楽しい時間を過ごせたことを伝えるといい。

もうちょっとカジュアルに

- こだわりの演出が光っていたパーティでしたね。大いに笑い、大いに飲み、美味しい料理を楽しませてもらいました。心から感謝！

昨日は華やかな席へのお招き、ありがとうございました。皆さんが心底楽しそうに過ごしていて、改めて吉村さんの人望の厚さに感じ入りました。

★★

多くの人が集まり、楽しんでいる催し(もよお)のときは、主催者の人柄に焦点を当てるのもいい。「吉村さんを慕(した)うファンが集結し、たいへんな熱気でしたね」といったフレーズも使える。

新年会にご招待いただき、ありがとうございました。年の初めの大笑い、おかげさまで幸先の良いスタートとなりました。村田さんにとって実り多い1年となりますようお祈りしております。

★★

新年会というシチュエーションなので、前向きなひと言で締める例。

パーティの様子を表現するなら、「爆笑トークはお腹がよじれて痛くなるほどでした」「情緒の漂う演出に心が和(なご)みました」なども使える。

友人や親戚、近しい上司の自宅に招かれたなら

距離の近い上司や親戚、友人の自宅に招かれ、もてなしを受けたときは、なるべく早くお礼を伝えること。何がうれしかったか、楽しかったか、できるだけ具体的に挙げるのがコツ。

心のこもったおもてなし、楽しいお話に時が経つのも忘れ、すっかり長居をしてしまいました。ご夫婦そろってお料理上手とは、なんて素敵なのでしょう。うらやましい限りです。ありがとうございました。

★★

手料理でもてなしてくれたときは、手間をかけて準備してくれたことへの感謝を忘れずに盛り込む。「長居した」と表現することで、心地よかったことを伝えている。

友人に使えるこんな「ひと言」

●新居へのお招き、ありがとう。仲良くふたりの暮らしを築いている様子が伝わり、幸せのおすそわけをもらった気分。手作りケーキ、美味しかったよ。

課長の鍋奉行ぶりに感心しきりでした！　新鮮な魚介と銘酒までご用意いただき、ありがとうございました。おかげさまで、ここのところモヤモヤしていた気分が吹き飛びました。

★

励まそうとして上司が自宅に招いてくれたときのお礼の例。

上司の配偶者が料理をしたり、飲み物を注いでくれたりした場合は､「奥さま／ご主人によろしくお伝えください」と言い添えるといい。

本日は、美味しいお寿司をご馳走になり、ありがとうございました。いつ以来かというほどお腹を抱えて大笑いしました。おふたりのように幸せな家庭を築きたいと心に誓いました。

★

お寿司をふるまってくれたときの言い回し｡「大笑いした」という言葉が、家庭の楽しさ、温かさを表わしている。

子どものいる一家を訪問した場合にも、ぴったり。

お中元へのお礼

お中元が届いたら、すみやかにお礼のハガキを書き送りたい。どんな気持ちで品物を選んでくれたのかを考えて、感謝を表現するのがいい。最近は、メールで簡単にすませることも多いが、気持ちの表わし方は丁寧に。

家族そろって桃は大好物です。岡山県の白桃は初めてでしたので、わくわくしながらいただき、頬(ほお)の落ちそうな美味しさに皆で感動いたしました。

★★

果物の場合は食べ頃のタイミングもあるが、できれば味わってから感想を。

お礼に美味しかった感想を乗せれば相手も安心し、気持ちが通うもの。

もう少し丁寧に伝えたい

- 立派なメロンをお贈りいただき、たいへん恐縮しております。夕食後にタイミングを定めて冷蔵庫で冷やし食しました。とろける甘さに家族そろって感激しております。

暑い時期のビールほどうれしいものはありません。しかも、好きな銘柄を覚えていてくれたとは！感激です。

★

親しい人から好きなビールを贈られたときのお礼の言葉。ビールはお中元の定番だが、このようにストレートに心遣いへのうれしさを伝えると、相手も喜んでくれる。

カラフルで涼やかなゼリーに、箱を開けて思わず声を上げました。午後のお茶の時間に皆で楽しみました。いつも気遣ってもらい感謝しています。

★

品物を受け取り、包みを開けたときの感想をそのまま言い表わしたパターン。どんなふうに食べたかを具体的に表現するのがコツ。そのイメージが相手にも伝わり◎。

お歳暮へのお礼

お歳暮は1年間の感謝を表わすものであり、受け取ったら間を置かず、お礼を伝えるのがマナーとされる。贈られた側も1年の締めくくりを意識したお礼と挨拶をして、翌年につなぐようにしたい。

お心遣い、ありがたく頂戴(ちょうだい)しました。あの人気ブランドの焼き菓子とあって、オフィスに歓喜が響きました。スタッフ一同、感謝しながら評判通りのお味を楽しませていただきました。

★★

取引先などから部署宛てに送られたお歳暮へのお礼の例。同僚たちの反応をそのまま表現し、喜んだ様子、美味しかったことを伝える。
「老舗(しにせ)の和菓子」「憧れの銘菓」など、品物に合わせてアレンジを。

友人に使えるこんな「ひと言」

- 年上というだけでさして力にもなれず、不甲斐ない身なのに、気遣いありがとう。心までポカポカと温まりました。

美味しい紅茶をありがとうございます。芳醇（ほうじゅん）な香りに午後のブレイクタイムの楽しみが大きくふくらみました。

★★

紅茶や日本茶、コーヒーなどを表現するなら、やはり香りや風味のコメントがポイントに。
「華やかなアールグレイの香り」「宇治茶の奥深い味わい」「深みのあるコクが際立つコーヒー」など、形容するひと言を入れると実際に味わっていることが伝わる。

とっても美味しい和菓子をいただき、ありがとうございます。あんこ好きの父も顔をほころばせ、「うんうん」と頷（うなず）きながらうれしそうに味わっていましたよ。

★

親戚から家族に向けて贈られた場合、自分の気持ちだけでなく、家族の反応も伝えるといい。
「ワインの好きな母が大喜びして、『クリスマスに皆で感謝しながらいただきましょう』と決めました」といった言い回しも使える。

人や仕事を紹介してもらったときに

　ビジネスでもプライベートでも、人や案件の紹介をしたり、されたりする機会はよくあるもの。気持ちの伝わるお礼のひと言が、その後のネットワークづくりにも役立つ。

願ってもないお話をいただき、心より感謝しております。

★★

　自分の望む話かどうかはさておき、厚意を示してくれたことに感謝するひと言。

　例えば縁談話、転職話などを辞退する場合は、「私にはあまりにもったいないお話ですので、ご辞退させていただきます。ご厚意にお応えできず申し訳ございません」と続ければOK。

こんな「ひと言」アレンジも

- たいへん魅力のある人材をご紹介いただき、誠にありがとうございました。本当に助かりました。近いうちにお礼の機会を設けさせてください。

せっかくお骨折りいただきながら、今回は話をまとめることがかないませんでした。しかしながら、本田様とお近づきになるチャンスをいただき、深く感謝しております。

★★★

紹介を依頼して、実を結ばなかった場合も、きちんとお礼を伝える。「お忙しいなかお力添えをいただき、深謝（しんしゃ）申し上げます。たいへん残念ながら今回は当面、見合わせとなりました」としてもいい。

実は現在、以前にご紹介いただいた吉井様と、新しいお話が進んでおります。これもひとえに亀山様のご尽力のおかげだと、部長も深く感謝しております。ありがとうございました。

★★★

誰かの紹介がその後、時間を経過してから実を結んだ場合は、改めてお礼の言葉とともに報告をする。これを怠（おこた）ると、相手の心証が悪くなりかねない。

イベントに参加してもらった人へ

イベントを行ない、そこに参加してくれた人へのお礼を伝えるときは、漠然（ばくぜん）と「参加をありがとう」と言うのではなく、イベントの内容を振り返ったり余韻（よいん）についてひと言加えたりするのがポイント。

忙しいなか時間をとって来てくれてありがとう！あんなにうれしそうな両親の顔を久しぶりに見ました。今も、皆さんへの感謝をノンストップで話し続けています。

★

長寿の祝いの席に招いた親戚へのお礼の例。

「そのうちと言わず、また近いうちに集まりましょう」と最後に加えるのもいい。

もう少し丁寧に伝えたい

- お忙しいなか弊社（へいしゃ）の催しに参加いただき、お礼申し上げます。四川料理や余興を楽しんでいただけましたでしょうか。

昨日は、発表会にお集まりくださり、たいへんありがたく存じます。皆様のご期待と応援の言葉に、確かな手ごたえを感じております。

★★

商品やサービスの発表会に来てくれた人へのお礼の例。「予想以上の反響をいただき、一同喜んでおります」「わからない点などありましたら、いつでもご連絡ください」などのフレーズも使える。

本日は、遠路はるばるお越しいただいて感慨もひとしおでした。皆様のご支援あっての門出と改めて感じ入っているところです。

★★

会社の支店開設、本社社屋の完成などのほか、結婚式の披露宴、転勤前の送る会などでも使うことができる。「お食事は楽しんでいただけたでしょうか」「十分におもてなしできたか自信がありませんが、心よりの感謝の気持ちを送ります」などと続けてもOK。

相手からの心遣いに対するお礼

就職先や人の紹介にとどまらず、相談に応じたことでお礼の品が届くことがある。「そこまでの必要はないのに」と思っても、それをそのまま伝えるのは野暮（やぼ）というもの。心遣いへのお礼をさらりと記すことだ。

この度はご丁寧にビールを贈っていただき、恐縮しています。わずかでもお役に立てたのなら幸いです。私にできることがあれば、いつでもお声をかけてください。

★★

相談にのったあとのお礼の品に広く使える言い回し。

親戚の子どもの進学、進路について経験や知識を話したり、その子の悩みを聞いたりした状況が考えられる。今後も力になると言い添えているところがポイント。

もうちょっとカジュアルに

- かわいいお菓子、ありがとう。同期の縁、お互いさまだから、悩んだときはいつでも話を聞かせてね。

帰宅して郵便受けに遠山さんからの封筒を見つけ、いそいそと開封したら、センスの良いハンカチが！　心遣い、ありがとう。大事に愛用します。そして、万事うまくいくよう祈っています。

★

友達の相談にのり、ちょっとした小物が届いたときのお礼。わざわざ品物を用意して送ってくれたことへの感謝と気に入って喜んでいることに加え、問題や課題が解決するように願う気持ちや励ましをまとめる。

お心遣いに感謝します。もっと力になれたらと歯がゆく思っていたところです。吉報をお待ちしています。

★★

依頼された事柄について、あまり力になれなかった場合に使える言い回し。紹介がうまくいかずに終わった場合などは、「力及ばず申し訳なく思っています」とするのもあり。

移転や引っ越し祝いをもらったときに

引っ越し祝いは、雑貨や観葉植物など飾るものも多い。それだけに相手からすれば、贈り物がミスマッチではなかっただろうかと気になるもの。どんなふうに使っているかを伝えると喜ばれる。

縁起の良い観葉植物をありがとうございました。玄関に飾ったところ、運気が上がったように思われます。お気持ちに感謝し、皆で精進してまいります。

★★

事務所の移転で観葉植物を送られた場合のお礼。観葉植物がプラスに働いていることを伝えている。

自宅の場合は、最後を「家族一同、お気持ちに感謝しております」とすればOK。

もうちょっとカジュアルに

- 念願の新居にて、ボルドーのワインを堪能(たんのう)しました。5年前に新婚旅行で訪れた思い出がよみがえって、ますますうれしくなりました。感激です。

なんておしゃれな掛け時計でしょう。シンプルでリビングの壁にしっくりマッチしました。時刻を見るたびニンマリしてます。ありがとう！

★

好みをよく知る親しい人からの引っ越し祝いへのお礼の例。相手の見立てが正しかったこと、喜んで使っていることを表わしている。

「近いうちに、ぜひ遊びに来てね」「近くに来る機会があったら、ぜひお寄りください」などと言い添えるのもあり。

長らく憧れていたエスプレッソマシンを頂戴し、感謝の言葉もありません。香り高い1杯が日々の励みとなります。心よりお礼申し上げます。

★★

ずっとほしかったものだと伝えれば、送り主は安堵するもの。

状況によって「スタッフ一同、毎日楽しんでいます」「夫も大喜びしており、早速ふたりで味わいました」などとアレンジしてもいい。

そのひと言に、気持ちを乗せるコツ②

お礼の気持ちは手書き文字で伝えたい

お礼を伝えるタイミングは、できるだけ早いほうがいい。招待を受けたとき、ご馳走になったときなど、その日のうちにお礼の手紙かハガキを書いて投函する。ただ、**贈り物を受け取った場合は、どう楽しんだかを具体的に伝えたほうが喜ばれるので、まずは食べたり、使ってみたりしてから**でもいい。

手紙とハガキでは、手紙のほうがよりフォーマル。目上の人には、本来は手紙を送るのがマナーとされている。とはいえ、最近はメールですませることが多くなったこともあり、**あまり形式にこだわる必要はない**。

手紙やハガキで送るなら、ぜひ手書きで送りたい。字が下手だからとパソコンの文字にすると、温かみが伝わらず、どうしても事務的な印象になってしまう。**丁寧に書けば達筆である必要はない**。

ハガキの紙面を埋められそうにないと思ったら、絵入りハガキを使うのもアイデアのひとつ。気心の知れた相手ならおしゃれなポストカードを利用してもいいだろう。

「プレゼント」とともにこんなメッセージ

土産物を贈るときには

プライベートの旅行や出張でお土産を買い、いつもお世話になっている人に贈る場合、気持ちを伝えることが何よりのポイント。「自分はこんな場所に行ってきた」と自慢話のような印象にならないように注意したい。

日帰り出張でしたが、せっかくの小田原と思い、子どもの頃から好きな蒲鉾(かまぼこ)の老舗に立ち寄りました。定番品とちょっと面白い新製品、ご家族で楽しんでください。

★

日帰りのせわしないなかでも、相手のために名店の品物を買ってきたと伝わる。おすすめの品物を土産に選んだときのフレーズ。

相手がお酒をたしなむ人で、そのお供にぴったりのものなら、最後を「晩酌(ばんしゃく)のお供にしていただければ幸いです」と換えてもいい。これで少し丁寧度がアップする。

支店のスタッフがそろって太鼓判(たいこばん)を押してくれた名産品です。皆様のお口に合えばたいへんうれしいです。

★★

あまり馴染みがない出張先で、周囲からおすすめを聞いた場合の言い回し。取引先などに土産を持っていくときに一筆箋(いっぴつせん)に書いて添えるといい。
「地元の方々に『これが一番！』とすすめられた名産品です」としてもGOOD。

宿近くの店先で目に留まり、「西田さんにぴったり」とひらめきました。笑って受け取ってください。

★

旅先で自分のことを思い浮かべてくれたとわかれば、やはりうれしいもの。
手頃な値段のちょっとした小物、受け取った人がにやりとして喜びそうなものを渡すときに活用できるひと言。

友人に使えるこんな「ひと言」

- ヒカルが集めているカワウソのグッズを旅先で見つけたよ。気に入ってもらえて、コレクションの仲間入りができますように！

旬のものを贈るときに

果物や野菜、海産物などを旬(しゅん)の一番美味しい時期に贈る場合、それがどんなものかや、旬であることを明確に伝える。「言わなくてもわかるだろう」と思っても、旬に地域差などがあることを考えれば、ひと言添えたい。

当地名産の豊水(ほうすい)が旬を迎えました。どうぞ皆さんで楽しんでください。

★

ストレートに地元の名産の梨であること、豊水という品種であることを端的に伝えるひと言。

故郷の名産品を贈るような場合は、「生まれ育った岡山の白桃」「ふるさと千葉の幸水(こうすい)」などと言い換えられる。

もう少し丁寧に伝えたい

- 郷里の佐藤錦は今が旬です。代々懇意(こんい)にしている果樹園からお贈りします。お楽しみいただければ幸いです。

近頃、話題になることも多い生食できるトウモロコシです。さわやかな甘さをご堪能いただきたく、お贈りしました。

★★

「この美味しさをあなたにも味わってほしい」という気持ちが伝わるひと言。

あまり知られていないレアなものであれば、「生産量が少なく県外では入手困難なアスパラガスです」「幻の柑橘（かんきつ）と形容される品種です」などと添えてもいい。

今年も牡丹海老（ぼたんえび）のシーズンになりました。日頃のお力添えへの感謝のしるしです。いつもありがとうございます。

★★

地元や出身地の名産品を毎年、お世話になっている人に贈っている場合に使えるフレーズ。

ビジネスで改まった言い方なら「日頃のご愛顧（あいこ）へのお礼のしるし」、親戚や恩師などには「日頃よりたいへんお世話になり、感謝の気持ちです」が使える。

ちょっとした
誕生日プレゼントに添えて

同僚や友人の誕生日を覚えておき、ちょっとしたプレゼントをすると良好な関係維持に役立つ。なぜその品物を選んだのか、そして相手への心遣いを示す言葉を添えると、気の利いたひと言になる。

川口さんの好きな焼き菓子、少しだけれどお祝いのしるしです。ますますの活躍を祈りつつ。

★

よく顔を合わせている相手なら、好物を知っているはず。こうした言葉を品物に添えておくと、好みをきちんと覚えていることもわかり、喜んでもらえる。

高級なお菓子でなくスナック菓子でも「川口さんの好きなチョコ菓子、お祝いのしるしに」という気遣いが喜ばれる。

もうちょっとカジュアルに

- 今日は誕生日ですね。チーフのお好きなスイーツをご用意しました。ハッピー・バースデー！

お誕生日おめでとう！　以前、多田さんが「書きやすい」と言っていたものと同じペンです。使ってください。

★

職場の同僚や先輩とは文房具の貸し借りなどもあるはず。貸したボールペンを気に入った様子だったときに、覚えておいて誕生日にプレゼントする際の言い回し。

「『使いやすい』と驚いていた修正液」「『かわいい』と気に入っていた付箋（ふせん）」なども同じように使える。

おめでたい日の祝いに、にゃんこグッズを贈ります。近いうちに祝杯をあげましょう！

★

猫好きで猫モチーフのグッズを集めている同僚や友人に。

サッカー好きなら「サッカーボール柄のミニタオルをどうぞ」、釣りをする人には「鮎の柄の手ぬぐいを見つけたので、よかったら使ってください」と伝えるといったバリエーションが考えられる。

移転や引っ越し祝いを贈るときに

取引先の会社が移転したり、友人や親戚が引っ越したりした場合、贈り物には気持ちの伝わる言葉を添えたいもの。引っ越し祝いを贈らないまでも、メールでやりとりをする際にひと言添えるといい。

新たなオフィスでのスタートは、広瀬さんがより高く羽ばたく転機になることと思います。

★

事務所が移転した際、それが良い変化につながると解釈してかける言葉。

単に「新たなスタート」とすれば、転勤や異動の際にかける言葉にもなる。

もう少し丁寧に伝えたい

- この度は、事務所が手狭になっての移転と伺いました。ますますのご発展をお祈りしております。

地の利が良いうえ、おしゃれな外観に最新設備のオフィスとは、うらやましい限りです。

★

再開発で注目されているエリアの新しいビルに入居した場合などに使える。社員にとって職場環境が大きく改善されることは自慢のたね。

ストレートに「うらやましい限り」と伝えれば、プライドがくすぐられるはず。

落ち着くまで何かと大変だと思いますが、ぜひ近いうちに遊びに行かせてください。

★

自宅を引っ越した相手に。自宅に遊びに行く間柄であれば、職場の先輩や距離の近い上司にも使える。

ただし、待望のマイホームなら、「新築おめでとうございます」「念願のマイホーム、心よりお祝い申し上げます」などと、お祝いメッセージを忘れずに。

「お子さんが跳ね回って喜んでいる様子が目に浮かびます」「ご家族もさぞかしお喜びでしょう」などと家族に触れるのもGOOD。

お中元を贈るとき

お中元を贈る場合、先方に品物が届く前に送り状を出すのが本来のマナー。ただ最近は、品物に挨拶状を添えたり、メールですませたりすることも多い。その際、品物を選んだ理由、気持ちを表現するとGOOD。

森田さんは甘いものがお好きと伺い、故郷仙台の干菓子（ひがし）を選びました。お口に合うよう祈っております。

★★

甘党か辛党かなど相手の好みに合わせ、故郷の名産品を選んだことを伝える。はっきり言わずとも「美味しくて評判の良い品物」だと伝わる。

後半の文は「皆様で召し上がっていただければ幸いです」としてもいい。

こんな「ひと言」アレンジも

- 森田様は甘党と伺いました。夏の盛り、氷菓子が暑気払いのお役に立つよう願っております。

この厳しい暑さは、ビールをより美味しくしてくれますね。喉(のど)を潤(うるお)して、ひと息ついていただけるとうれしいです。

★

ビール好きだと知っている相手に送る言葉。距離の近い上司や先輩、親戚などに添えたい。

もう少し距離のある相手なら、「お好みのビールをお贈りします。厳暑の折、お体おいといください」「先日、話題になさっていた銘柄です。人気沸騰中とのことです」といった言い回しを。

いつもいつもありがとう。感謝してもしきれないほどです。心からの「ありがとう」を込めて。

★

親しい人に感謝を伝えるのにぴったり。気取った表現よりもストレートな気持ちが届くはず。

仕事関係の人には、「日頃よりたいへんお世話になっております。感謝の気持ちをお贈りしますので、お納めください」「ほんの気持ちです。ご笑納ください」などが使える。

お歳暮を贈るとき

お中元と同じように、その品物を選んだ理由や感謝を伝える。気の利いた言い回しをしようと慣れない言葉を使うより、相手を思い浮かべて素直な気持ちを表わしたい。

年末のご挨拶に、当地でつくられた評判のワインを発送いたしました。お好みにかなうよう祈っています。

★★

これは品物の到着前に、送り状やメールで発送を伝える場合のフレーズ。

品物に添える挨拶状であれば「……ワインをお送りします」とすればOK。

友人に使えるこんな「ひと言」

- 最近になって地元にワイナリーが増え、なかなかの評判です。和食に合うものを選んだので、麻衣さんとの晩酌にどうぞ。

今年もたいへんお世話になりました。真心を込めて、おふたりの好きなふぐ鍋セットをお贈りします。

★

相手の好物を贈る場合の言い回し。

もう少し丁寧な言葉遣いが必要な相手であれば、「本年もたいへんお世話になり、誠にありがとうございました。感謝のしるしとして林様のお好きなふぐ鍋セットをお贈りいたします」とすればいい。

本来ならばお伺いしてご挨拶すべきところですが、師走の折、かえってお邪魔になるかと思い、差し控えさせていただきました。

★★★

お歳暮は本来、相手を訪問し、「今年もお世話になりました」と挨拶をして手渡しするもの。それだけにマナーにうるさい相手には、こんな一文を添えるといい。

定番の言い回し「略儀ながら書中（メール）にて失礼いたします」も使える。

バレンタインチョコと一緒に

職場や友達の集まりなどでチョコレートを配る場合など、日頃のお礼であるとメッセージを添えたほうが妙な誤解も避けられるはず。相手との関係性に合わせて、適当な言い回しを工夫したい。

先輩にはいつも気遣っていただき、ささやかなお礼のしるしです。早くご恩返しできるよう頑張ります。

★

冒頭の部分は、「いつもサポートしていただき」「チーフには始終ご迷惑をおかけして」などでもOK。
「面倒のかけっぱなしですみません！」「いつもご迷惑をおかけして申し訳なく思っています」などと謝る手もある。
「ご恩返し」がふさわしくない場合は、「気分転換に役立ちますように」とアレンジを。

友人に使えるこんな「ひと言」

- 困ったときにいつも救いの手を差し伸べてくれて、感謝しています。ありがとうの気持ちを込めて！

日頃より何かとお力添えいただき、誠にありがとうございます。心より感謝を込めてお贈りします。今後ともよろしくお願いいたします。

★★★

お得意様など仕事上のつき合い、世話になっている親戚などに使える言い回し。バレンタインデーはプライベート感があるイベントだけに、丁寧な言葉遣いをすることできちんとした印象を醸（かも）し出したい。

バレンタインデーに変わらぬ愛情と感謝を込めて！　いつも忙しそうだから、このチョコレートを食べて、ほっと一息ついてね。

★

恋人やパートナーに贈るときの言葉。相手への気遣いがわかるひと言。手作りをした場合は、「真心を込めて手作りしました」「愛情たっぷりの手作りチョコレートを贈ります」なども使える。

クリスマスプレゼントを贈るときに

クリスマスイベントを利用して、友達や同僚などに1年の感謝のしるしを贈るのも手。できれば、その気持ちをしっかりと伝えたいもの。クリスマスを祝う言葉に、相手へのお礼、そして気くばりの言葉を添えるといい。

今年もクリスマスが巡ってきました。1年を振り返るにつけ、松田さんへの感謝がこみ上げてきます。どうかクリスマスと年末年始は息抜きをして楽しんでください。

★

いつもお世話になっている身近な人に。はじめの一文で、長いつき合いになっていることを示し、ありがたいと思っている気持ちへとつなげている。

友人に使えるこんな「ひと言」

- サンタクロースに代わって、大切な友へプレゼントをお届け。素敵なクリスマスになりますように！

忙しい日が続いているのでしょう。フレーバーティーで少しリラックスしてね。

★

年の瀬で忙しい友人への気くばりの言葉。相手の好みに合わせたちょっとしたプレゼントは喜ばれる。同僚には「ここのところ忙しくて大変だね。毎日お疲れさま。クッキーで元気をつけてね」などと添えるといい。

Happy holidays！　今年も残すところあとわずかですね。家族そろって幸せいっぱいの年末年始となりますように。

★

キリスト教以外の信仰があると知っている相手には、「メリークリスマス」に代わる言葉を。「良い休暇を」という意味の“Happy holidays！”なら宗教を問わず広く使える。家族関係がよくわからない場合は、「楽しい年末年始になりますように」「良い年越しになりますように」などとすればいい。

そのひと言に、気持ちを乗せるコツ③

メッセージカード、グリーティングカード

誕生日やちょっとした贈り物にも活躍する「メッセージカード」。たったひと言「ありがとう」と書いてあるだけでも、もらった人にとってはうれしいもの。

使い勝手はいいのだが、ちょっとしたポイントがある。

よく使われるのが二つ折りのカード。使用する際は、**「カードの表紙の裏側にはメッセージを書かない」「カードの表紙と、封筒の表面は同じ向きにしておく」**点に注意する。

また、カードには「縦折タイプ」「横折タイプ」「中紙入りタイプ」がある。縦折タイプは開いた右半部に、横折タイプは開いた下半分に、それぞれメッセージを書く。

カードの中に白い紙（＝中紙）がある場合は、直接カードに書くのではなく、その白い紙に記入しよう。中紙があるカードはデザイン性が高く、凸凹などの装飾があったりするので書きづらい。気持ちを伝えるものだから、よりスマートに読みやすい字で書きたいものだ。

「お願いごと」のときに使いたい

お願いごとをするときに

遠慮するあまり持って回った言い方をしていると、相手から「それで用件は？」と聞かれるかもしれない。とくに忙しい人なら、じれったく感じてしまうだろう。謙虚な姿勢は大事だが、ストレートに伝えたほうがスムーズに進む場合も。

突然ではありますが、ぜひとも川村様のお力をお借りしたく、お願いするしだいです。

★★

誰かの力を借りたい状況で幅広く使えるお願いフレーズ。はじめの部分は、「ぶしつけとは存じますが」「厚かましいとは承知しておりますが」などと言い換えてもいい。

これでは少し仰々（ぎょうぎょう）しいと思える相手なら、「突然ですが、ぜひ川村さんの力をお借りしたく」でもOK。

もう少し丁寧に伝えたい

- 幅広い人脈をお持ちの川村様のお力添えを賜（たまわ）りたく、切にお願い申し上げます。

いつも忙しいチーフに私事で面倒をおかけして恐縮ですが、折り入ってお願いがあります。

★

職場の先輩にプライベートな事柄を相談したり、上司に休みを取りたいとお願いしたりするときに活用できる。「いつも忙しいのに」と前置きすることで、相手が受ける印象をやわらげる。

増田さんにしかできないお願いです。話だけでも聞いてもらえませんか。

★

その人でないとダメなのだと訴えかけるアプローチ。相手を信頼し、頼りにする気持ちが伝わる。
「忙しい」と断られる気がするなら、「5分で結構ですから時間をください」「10分だけください」などと具体的な時間を挙げてお願いするのも手。

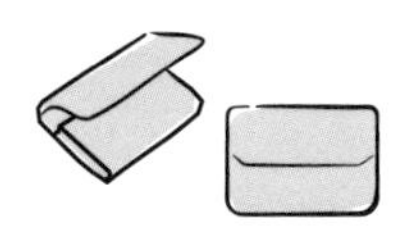

催促されたときに

「まだですか」「早くしてください」と催促（さいそく）されても、こちらの準備が整っていないなら待ってもらうしかない。そのまま「待ってください」では角が立つので、それ以外の言い回しも覚えておきたい。

ごめんなさい！　うっかりしていました。今この瞬間から取りかかります。しばしお待ちを。

★

すべきことを忘れていて、いま気づいたと自分も驚いている様子を暗（あん）に示している。長々と言い訳をするより、スパッと言い切って、取りかかったほうがいい場合もあるだろう。もちろん、相手や状況を見極める必要があるフレーズなので使い方には注意がいる。

落ち着いた感じを出したいなら

- 申し訳ございません。失念しておりました。直ちに取りかかります。

どうにか手立てを探しますので、今しばらく待ってもらえませんか。

★

「もう待てない」と言われたときのお願いの言い回し。「手立て」というひと言で、誰かに助力を求めて解決を図るので、それまで待ってほしいというニュアンスを伝えている。

ビジネスの場では、「社に持ち帰り、対策を講じますので、もう少しだけお時間をください」「明日までお時間をいただければ、対処いたします」なども使える。

9月15日までご猶予（ゆうよ）いただけないでしょうか。

★★

「猶予」とは、何かを行なう日時を先延ばしにするという意味。商品の納品の期日、書類提出の期限、借金の返済など、幅広く使われる。

「あと2日、ご猶予いただけますようお願いいたします」「今しばらくのご猶予をいただきたく、お願い申し上げます」といったフレーズも活用できる。

相手の誤りに気づいたら

何かの間違いに気づいた場合でも、ミスを強く抗議したり、非難したりするのは賢明とは言えない。事実関係を明らかにして、修正を依頼するスタンスで応じたほうが、あとあとしこりを残さなくてすむ。

到着した商品の数量が不足しています。注文書をご確認のうえ、不足分をすみやかに納品くださいますようお願いします。

★★

頭に血が上って強い調子にならないように。
急ぐときは、「大至急、ご送付いただけるようお願いします」「配達日時をお知らせください」などとつけ加えると、こちらの切迫感が相手に伝わる。

こんな「ひと言」アレンジも

- 何かの手違いかと存じますが、早急にお改めいただけますようお願い申し上げます。

お送りいただいた見積書につきまして、先日お話ししていた金額とは相違があるようです。お確かめください。

★★

明らかに相手側に誤りがあると思っても、互いに誤解していたかもしれないという姿勢が大事。「相違があるようです」とやんわり指摘する程度がベター。

本日、着荷いたしましたABCセットにつきまして、お問い合わせ申し上げます。検品しましたところ、印刷のずれが4カ所ございました。早急にご確認いただき、対応いただきたくお願い申し上げます。

★★★

商品の不具合について問い合わせ、対応を求める言い回し。

日頃親しくしている相手にこそ、こうしたフォーマルなひと言を使うことで、こちらの本気度を伝えることができる。

会合への参加を呼びかけるとき

職場の宴会でも仲間内の集まりでも、いちばん苦労するのが幹事役。ここは幹事としての腕の見せどころ。相手が「楽しみだ」と思うような呼びかけを工夫してみたい。

「できたら」などと言わず、必ず出席してくださいね。加藤さんがいないと始まりません。

★

「できたら行くよ」などと出欠をはっきりさせない人へのお願いの例。
「出てくれないと困ります」では高圧的な印象を受ける。
「そう言われたら仕方ない」「それもそうかな」とその気にさせるひと言を。

落ち着いた感じを出したいなら

- 加藤様にご出席いただけることを、皆とても楽しみにしております。

楽しい企画をご用意しています。皆様ふるってご参加ください。

★

忘年会や歓送迎会で「必ず参加してください」「全員参加が原則です」などと押しつける言い方をすると、反発を招きかねない。
「楽しいから参加してね」とお願いするトーンに賛同してもらえるよう工夫するのがポイント。

今回は、育休明けの小林さんが出席してくれます！　この機会に話したいことがいっぱいあるはず。ぜひ語りつくしましょう。

★

いつもとは違う顔ぶれになるなら、それを知らせて楽しさを演出して、ほかの人の参加を促（うなが）すのもいい。「関西支店の西山さんがスペシャルゲストとして参加してくれます」「北川先生がお忙しいなか出席してくださいます」といったフレーズも使える。

「返してほしい」ものがあるとき

貸したものであれば返すのは当然とはいえ、「返せ」とストレートには要求しづらいもの。ソフトにお願いしたほうが、今後も角が立たなくていい。

先月、お送りしたデータ集は、お役に立ちましたか。もしもご用済みでしたら、菊池までお戻しください。

★

社内の貸し借りでの催促の言い回し。「お役に立ちましたか」「もしもご用済みでしたら」と低姿勢で問いかけている。

気を遣う相手なら、「いつも忙しくて休む暇もないようですね。お疲れさまです」と言い添えると、相手に「忙しかったから」という言い訳を与えられる。

友人に使えるこんな「ひと言」

- プレゼンの首尾やいかに。参考になると言っていた例の本、時間のあるときでいいので郵送してください。

先週、安藤さんにお渡しした資料が、急きょ、こちらの会議でも入用になりました。午後2時頃に顔を出しますから、よろしくお願いします。

★

「返してください」と直接的に言わずに、その意図を伝える表現。きつい言い方を避けつつも、受け取りに行くと伝えることで、まだ返さなくていいという選択肢がない状況をつくっている。

貸したばかりで時間が経(た)っていない場合は、「せかしてしまい恐縮です」とつけ加えるといい。

そういえば、以前に貸したDVD、どうでしたか。

★

いつまで経っても貸したものを返してくれない人には、それとなく探りを入れる方法もある。感想を聞くことで、暗にまだ返していないことを思い出させるひと言。

「いつだったか借りていった本、読み終わったかな」「例のDVD、気に入りましたか」などとしてもいい。

アンケートへの協力のお願い

商品やサービス、イベントなどへの感想、生の声を知りたいときは、相手との関係性や状況に合わせて言い回しを工夫し、協力を仰ぎたい。

お忙しいところ恐縮ですが、ぜひとも皆様のお声をお聞かせください。

★

職場の同僚から広く意見を求める場合などに。仰々しくならないよう平易な言い回しにとどめるのもコツ。「ぜひご感想をお寄せください」「お気づきになった点がありましたら、お知らせください」なども使える。

もう少し丁寧に伝えたい

- ご愛用いただいているお客様の貴重なご意見を頂戴いたしたくお願い申し上げます。

私どもも最善を尽くしておりますが、至らぬ点もあるかと思います。どうぞアンケートにご協力をお願いします。

★★

どんなに慎重を期しても、なかなか完璧とはいかないもの。だから、アンケートに協力してほしいとお願いする形をとっている例。

「誠心誠意努めておりますが、ご満足いただけない点がございましたら、お知らせください」と言い換えることもできる。

お寄せいただいたご意見、ご提案につきましては、一つひとつ対処してまいります。

★★

時間をかけて考え、書いてくれた意見は無駄（むだ）にせず、対応すると伝える言い回し。「すぐに改善します」と言ってしまうと、あとで問題になりかねないので、「一つひとつ対処していく」としているのがミソ。

「真摯に改善に取り組んでまいります」もよく使われる言い回し。

人の紹介をお願いするとき

人と人との橋渡しを得意とする人もいるが、うまくつなげられる自信がないと、乗り気でない人もいるだろう。デリケートな人間関係があるだけに、謙虚なお願いの仕方をすることが大切。

ご面倒をおかけして恐れ入りますが、お口添えいただけないでしょうか。

★★

目上の人にあいだに入って仲介(ちゅうかい)してほしいときに使えるひと言。「お力添えをお願い申し上げます」と言い換えることもできる。

友人に使えるこんな「ひと言」

- 面倒なことを言って申し訳ないけど、吉川さんとお会いしたいので、なんとか紹介してもらえるとうれしい。

厚かましいことは重々承知しておりますが、原田様にお願いするほかに方策がありません。どうかお引き合わせをお願いできないでしょうか。

★★★

なんとしても紹介してもらいたいとき、乗り気ではない反応をされたときなどに。「図々しいことはよくわかっているけれど、ほかに手がない」と懇願する調子で。

「どうかお力をお貸しください」「平(ひら)にお願い申し上げます」などと、さらにお願い表現を重ねてもいい。

文鳥の飼育歴が長い方を探しています。どなたか相談にのってくれそうな方をご存じではありませんか。

★

その分野での経験が豊富な人や専門家を探しているときに。

また、仲立ちをするという意味の「取り持つ」という言葉を使って、「取り持ってもらえませんか」という言い方もできる。

あとで改めて連絡すると伝える

資料を見てもらい、話し合うというのは日常でよくあること。それだけに、相手と状況に合わせた表現の使い分けが重要になる。

お送りした資料に目を通していただきましたら、ご一報ください。

★★

こちらから資料を送り、「読み終えたら連絡をください」と伝えたいときの例。

メールではなく電話で話したいと明確にする場合は、「お電話ください」とすればＯＫ。

もう少しあたりをやわらかくするなら、「ご一報いただけると幸いです」「お電話いただきたく存じます」などと言い換えられる。

もうちょっとカジュアルに

- まずはパンフレットをざっと見ておいてください。細かいことは次に会ったときに話しましょう。

一読いただいた頃に、電話を差し上げます。

★

社内回覧の資料などでよく使われるフレーズ。はじめの部分は、「目を通していただいた頃に」「お目通しいただいた頃に」と言い換えることもできる。

もう少し丁寧な表現にして、セールスなどで使いたい場合は、後半を「改めてご連絡いたしますので、どうぞよろしくお願い申し上げます」とするのもOK。

詳しくはそちらに伺ってご説明いたします。来週半ばのご予定はいかがでしょうか。

★★

先に資料を送っておき、詳しい説明は訪問して行なう場合の言い回し。こうして相手の都合を聞けば、アポイントを取るところまで進めやすい。「詳しくは追って参上（さんじょう）し、ご説明いたします」という言い方も使える。

意見やアドバイス、支持を求める

その人ならではの考え、貴重な意見や賛同を引き出すには、どんなふうに持ちかければよいかを考える。相手の立場に立ち、声を上げやすくなるお願いの仕方を覚えたい。

現状を打破するには、皆さんの率直な意見が必要です。どうか遠慮なく、耳が痛いことも聞かせてください。お願いします。

★

課題や問題を解決するためのミーティングなどで、出席者に呼びかける言葉として使える。

「この難しい問題を解決するために力を貸してください」「この苦境を乗り越えるアイデアを広く求めています」などのフレーズも活用できる。

もう少し丁寧に伝えたい

- 皆様の忌憚(きたん)のないご意見をお聞かせいただきたく存じます。

この分野の経験が豊富な山崎さんのお知恵を拝借したく存じます。よろしくお願い申し上げます。

★★

相手の経験に高い価値を置き、「その経験から得た知恵を借りたい」と表現する。こうして相手を立ててお願いすると、「それなら一肌脱ぐか」と考えてくれる効果が期待できる。

「ぜひともお知恵を拝借したく、お願い申し上げます」「どうかお知恵をお貸しいただけないでしょうか」などとアレンジしてもいい。

川波さんのお墨付きをいただければ、向かうところ敵なしです。どうかお力添えをお願いします。

★

影響力のある人に認めてほしい、支持をとりつけたいという状況で使うことができる。「向かうところ敵なし」とは、誰にも負けない、非常に強くて敵がいないという意味合い。親近感を演出した言い回し。

難しい頼みごとをされたら

相手の求めに応じられない場合、ただ「ノー」と断っては今後の関係に影響が出てしまいかねない。こちらの状況を汲んでもらえるようなひと言を添えて、理解してもらうほうがベター。

今般の事情に鑑(かんが)みて、値引きは難しいとの結論に至りました。どうかご理解ください。

★★

よくない返事には、定番のかたい表現を使い、きちんとした印象にまとめるのも手。

「諸般の事情に鑑みて」「昨今の情勢を踏まえ」と言い換えられる。

「有(あ)り体(てい)に申し上げて、きわめて困難です」「率直に申し上げて非常に厳しいです」なども使える。

こんな「ひと言」アレンジも

- 誠に遺憾(いかん)ながら、今現在お受けすることがかなわない状況にあります。ご理解いただけますようお願いいたします。

私の力不足で申し訳ありません。どうかご容赦(ようしゃ)ください。

★★

要求がのめない理由が自分の力不足にあるとして、謝ってしまう言い回し。そんなふうに謝られては、相手もこれ以上頼みづらくなる。

状況に応じて、「手を尽くしてみましたが、八方塞(ふさ)がりの状態です」「関係各所に働きかけましたが、どうにも道が拓(ひら)けません」といったフレーズも使える。

今回は、ご希望に沿える自信がありません。お察しください。

★

いつも相手の希望に応えようと努めている関係で、「今度ばかりはムリ！」と言いたいときに使える。「ご希望」を「ご期待」に換えてもいい。

また、状況への理解を求める表現「お察しください」のほかには、「お汲み取りください」も使える。

できるだけ丁寧な言い方にしたいときは、「ご賢察(けんさつ)いただけますようお願い申し上げます」とすればいいだろう。

考え直してもらいたいとき

自分の望まない答えや結論を相手から伝えられたものの、考え直してもらいたいときもあるはず。相手の立場に敬意を払う姿勢を示しながら、そのうえで丁寧にお願いするのがポイント。

なんとかご再考いただけませんか。

★

ビジネスで希望に反した返事をもらったときに使えるフレーズ。「どうか考え直してください」と一方的に求めるよりも、相手に敬意を払った言い方になる。

相手と状況に合わせて、「どうかご再考願えませんでしょうか」「ぜひともご再考いただきたくお願い申し上げます」などとアレンジすることができる。

友人に使えるこんな「ひと言」

- お願いだから思い直してもらえないかな。もう一度チャンスをください。

無理を承知でのお願いです。今一度、ご検討いただけないでしょうか。

★★

「無理を承知でのお願いです」と前置きして相手の立場を理解していることを示し、そのうえでプッシュするパターン。
「ご無理を承知でお願いしております。どうかご検討ください」としてもOK。

今ひとたびお目にかかってお話ししたく、伏(ふ)してお願い申し上げます。

★★★

対面して話す機会がほしいとお願いする言い回し。多くの場合、直接会ったほうが話は通じやすいもの。
さらに丁寧にしたい場合は、「誠に勝手なお願いで恐縮ではございますが」と前置きするといい。
また、「30分で結構ですので、お時間をいただけませんでしょうか」というように、面会をとりつけるフレーズを言い添える方法もある。

人の手を借りたいときは

人の手を借りたい状況は、どんな職場でも起こるもの。申し訳ないとばかりに「たぶん無理だと思うんだけど」「残業なんて嫌でしょうけど」などとマイナスの感情を強調するより、気持ちよく承諾してもらえる言い回しを工夫したい。

大木さんに資料の作成を手伝ってもらえたら百人力！　恩に着ます！

★

「百人力」ということで、相手を評価し、頼りに思っていることが伝わる。

さらに、「恩に着ます」と続ければ、相手が手助けを必要なときに頼みやすくなり、「困ったときはお互いさま」の良い関係をつくるのに役立つ。

こんな「ひと言」アレンジも

- センスのいい川谷さんが手伝ってくれたら、成功間違いなしだから。力を貸してください。お願い！

大谷さんが手を貸してくれたら、2、3時間ですみます。ラーメンおごります。

★

気心（きごころ）の知れた同僚に数時間、手伝ってほしいような状況でのフレーズ。かかる時間の見込みを伝えておくと、相手も引き受けやすくなる。

作業の難易度や所要時間などに応じて、昼食やコーヒー、夕食などをおごる約束をするのも、ひとつの方法。「今度、お昼をご馳走します」といった言い方もできる。

忙しいなか気がひけますが、やっぱり吉田さんでないと厳しいんです。どうか助けてください。

★

仕事ができる先輩に手を貸してほしいときなどに使える。「吉田さんの力が必要なんです」「吉田さんがいないと、うまくいきそうもありません」などと言い換えてもいい。

相手を頼りにする気持ちをストレートに伝えて、アピールする。

相手から「いい返事」を引き出したいとき

すぐには願いを聞いてくれない相手であっても、あともう一押ししてイエスを引き出したいときに使えるひと言。必要性を訴えたり、角度を変えた頼み方をしたりするといい。

どうにも困っています。ここはひとつ肩を貸してくれませんか。どうかお願いします。

★

困っていることをストレートにアピール。「肩を貸す」という言い回しは、文字通り何かを担(かつ)ぐ手伝いをするだけでなく、広く助けるという意味で使われる。

こんな「ひと言」アレンジも

- 大川さんは救いの神です。後光(ごこう)が差して見えます。

同期のよしみで、お願いします。

★

同期入社の同僚、または同じ年に入学、卒業した友人などに使うことが可能。出身地が同じ相手であれば、「同郷のよしみで、お願いします」という言い方ができる。同期だから、同郷だから助けてほしいとアピール。

それまで苦楽をともにしてきた親しい相手なら、「同じ釜の飯を食った仲」「長いつき合い」なども使える。

今度ばかりはホントにピンチ！　後生（ごしょう）だから助けてください。

★

「そんなに騒ぐほどのことでもないでしょうに」という反応をされたときのお願いフレーズ。「崖（がけ）っぷち」とさらに強調する手もある。

「後生だから」という表現には、懇願、哀願（あいがん）のニュアンスがある。それだけに頻発すると、いざというときに信じてもらえなくなるので気をつけたい。

申し訳ない気持ちを表わす

無理なお願いを聞いてもらったとき、失礼な依頼を承諾してもらったときなどは、申し訳なく思っていることをきちんと相手に伝える。「わかってくれている」と勝手に思わず、言葉にすることが大切。

たいへん勝手なお話で、心苦しく思っております。申し訳ありませんでした。

★★

進めていた話がひっくり返ったり、条件が相手に不利になったり……。気まずいからといって、黙っていたり避けたりしないほうがいい。

まずはお詫びの気持ちを伝えておいたほうが、関係にヒビが入らずにすむ。

友人に使えるこんな「ひと言」

- 失礼千万とはまさにこのこと。お詫びするので、どうか許してほしい。

ぶしつけな話ですが、今度ばかりはどうにもなりません。どうかご容赦いただけないでしょうか。

★★

「ぶしつけ」とは、礼を欠く、無作法(ぶさほう)なこと。自分の力が及ばない事情によって、相手に対し礼を欠く状況になったときに使える言い方。「たいへん失礼なお話ですが」「誠に失礼ながら」などと言い換えることもできる。

弁解の余地もありません。明朝にでも頭を下げに参上いたします。お詫びする機会をいただけますようお願いいたします。

★★

「弁解の余地もありません」とは、言い訳できないということ。非を認めて詫びる言い回し。「申し開きのしようもございません」という表現も使える。頭を下げて詫びなければならないシチュエーションで用いる。

内輪の話に収めたいとき

SNSの発達で気軽に個人が情報発信できる昨今、「人に言わないように」とお願いしておかないと、拡散して取り返しのつかない事態に陥(おちい)ることもある。相手や内容によって使い分けるといい。

この件につきましては、ご内聞(ないぶん)にお願いします。

★★

「ご内聞に願います」といえば、外部に漏(も)らさず、内にとどめておいてほしいということ。

ビジネスの場では、公開していない情報、企業秘密などがある。

社外の人などに「秘密にしておいてほしい」と伝えるときに活用できるフレーズ。

友人に使えるこんな「ひと言」

- これはデリケートな問題だから、お口にチャック、お願いね。

これは内々の話だから、ここだけにとどめてね。くれぐれもよろしく。

★

「これは内輪の話だから、よそには漏らさないでほしい」とお願いするときの言い回し。

家族のプライバシーに関わる事柄など、プライベートでも使うことができる。

もう少し丁寧な表現にするなら、「どうか内々に願います」「これは内々の話ということで、お願いします」などと言い換えればいい。

ご他言は無用に願います。

★★

ビジネスシーンでは定番の表現。「他言」とは秘密などを人に話すこと、「無用」はしてはいけないという意味。

また、「他言無用でお願いします」「他言無用で頼みます」という言い方もよく使われる。

角を立てずに禁止事項を伝えるときに

相手に何かを禁ずる場合、反発を招いてしまうかもしれないと、とかく躊躇(ちゅうちょ)してしまいがち。そこで、マナーやルール順守(じゅんしゅ)への協力をお願いする言い回しで、やんわり伝えるのがコツ。

スマートフォン、タブレット、パソコンは受付でお預かりすることになっております。

★★

イベント等で撮影や情報のやりとりができる機器を持ち込み禁止する場合の言い回し。「会場への持ち込み禁止」ではなく、「受付でお預かりします」というルールだとしているところがミソ。

禁止するものは名称を具体的に挙げておいたほうが、当日、トラブルが起きるのを回避できる。

こんな「ひと言」アレンジも

- スマートフォンはエントランスホールでのみお使いいただけます。

会場への通信機器の持ち込みはお控えくださいますようお願い申し上げます。

★★★

「持ち込まないでください」と命令調でするのではなく、「持ち込みはお控えください」と協力のお願いをする言い回し。この場合の「控える」は、配慮して何かをやめるという意味合いになる。

写真及び動画の撮影はご遠慮願います。ご協力ありがとうございます。

★★

これも「撮影は禁止です」と一方的に言い渡すのではなく、「ご遠慮願います」とお願いする形に。何か行動をやめてもらいたいときに活用できる。より丁寧にするなら、「ご遠慮くださいますようお願いします」「ご遠慮いただきますようお願い申し上げます」などが使える。

最後に協力へのお礼を加えているのもポイント。

そのひと言に、気持ちを乗せるコツ④

相手にもわかる言葉選びが大事

誰かに何かお願いごとをする場合、まずは内容をぱっと理解してもらわないと先には進まない。言いたいことが明瞭でなく、読み解かなければならない言い回しでは、相手はうんざりしてしまう。

とくに注意したいひとつがカタカナ語。ビジネスシーンではよく使われるが、相手が同じように馴染んでいる言葉とは限らない。

「タイパを考えますとリスキリングのスキームは……」

「ユニバーサルデザインのオブリゲーションとして……」

このような文面を見ただけで、読む気が失せる人は少なくない。**自らの職場、交流関係では当たり前のように使っているからと、相手も同じとは思わないこと。**

若者言葉や流行語、俗語表現も然り。「ヤバいですね」「エモいですね」はほめ言葉にならないし、「半端ないメリットがあります」では、品位を疑われてしまう。

書き終わったら読み返してみて客観的であるか、確認するといい。

「ビジネスシーン」で信頼につながるひと言

請求書を送るとき

ただ請求書のみを送るのではなく、いつもの仕事、初めて受けた依頼など状況に合わせて、前向きな気持ちが伝わるひと言を添えたい。距離を縮め、また頼みたくなる関係づくりの一助に。

今回のイベントも成功のうちに終わり、その後の反響を伝え聞くにつけ、弊社スタッフもとても喜んでいます。今後ともよろしくお願いいたします。

★

仕事が成功すれば、それに関わったスタッフはうれしいもの。その気持ちを先方と共有し合えば一体感が生まれ、関係を深めていくことができる。

もう少し丁寧に伝えたい

- いつもながらご高配をいただき、改めて御礼申し上げます。今後ともご期待に沿えますようスタッフ一同精進してまいります。

このご縁に深く感謝し、弊社サービスを長くご愛顧いただきたいと願っております。石井様には率直なご意見、ご要望などをお聞かせいただければ幸いです。

★★

新たな顧客に対し、縁があって出会えたことへの感謝と、今後に向けての前向きな気持ちを伝える例。

ビジネスでは「これをご縁に」という表現も広く使われる。

新たな関係づくりへの意欲が伝わるひと言を。

これからは、新たなジャンルにも貪欲(どんよく)にチャレンジしていくつもりです。分野を問わずお声をおかけください。

★

いつもの依頼以外にも、幅広く仕事を受けたいという気持ちを表わしている。

「制作にとどまらず企画立案からトータルでビジネスに注力していく」というように、できるだけ具体的にアピールするといい。

領収書を送るとき

領収書を送るタイミングは、先方と気持ちを通わせる良いチャンスでもある。再び一緒に仕事をしたくなるように、プラスイメージを残したい。

この度のお仕事はたいへん勉強になりました。またの機会を心より楽しみにしております。

★

その分野で経験豊富な人との仕事、大きな案件など、学ぶ機会にもなった場合の言い回し。
「このようなチャンスをいただき、厚く御礼申し上げます」とも。

こんな「ひと言」アレンジも

- 早々に代金をお振込みいただき、ありがとうございました。弊社サービスに高い評価をいただき、スタッフ一同喜んでおります。またのご利用をお待ち申し上げます。

川西様とご一緒でき、たいへん光栄です。誠にありがとうございました。

★★

その世界でよく知られた人、ステータスのある人などと一緒に仕事をした場合に使えるひと言。「身にあまる光栄です」「光栄に存じます」としてもOK。

また、「このような幸運に恵まれましたことに心より感謝申し上げます」などと、さらに感謝の言葉を重ねてもいい。

ご入金、確認いたしました。ありがとうございます。難しい案件でしたが、無事役目を果たすことができ安堵しております。今後ともご指導いただけますようお願い申し上げます。

★★

相手のサポートがあってこそ難しい仕事をやり遂げられたと表わす例。

低姿勢の感謝が、いい心証を与える。

後半は、定番の言い回しとして、「今後ともご指導ご鞭撻(べんたつ)を賜りますようお願い申し上げます」がある。

見積書を送るとき

見積りを依頼された場合、仕事の姿勢を示すようなアピールの言葉を添えるのもいい。ただし、あまり押しつけがましい印象にならないように注意したい。

この度は、お問い合わせいただき、誠にありがとうございます。弊社の「なごみシリーズ」は、介護関連の方々から「使いやすい」「画期的な発想」とご好評をいただいております。

★★

ただ「人気商品です」というより、できるだけ具体的に魅力を伝える。

ここではどのような顧客から、どんな評価を受けているかを伝えている。

友人に使えるこんな「ひと言」

- 旅行の見積りを送ります。旅館は話し合って決めた条件にぴったりだと思います。念のため、ＨＰで雰囲気や設備をチェックしてからお返事を。楽しみにしています。

人手不足への対策が急がれる昨今、弊社サービスが業務の効率化、負担軽減の一助となれば幸いです。

★★

見積りを依頼されたサービスや製品について、一番の特徴をアピールした例。

その後、「皆様のお役に立てますよう願っております」「貴社ますますのご発展を祈念し、微力ながらお役に立てることを願っております」などと続けるのもOK。

予想を超える反響をいただき、お返事に時間を要しましたことをお詫びします。たいへん失礼いたしました。

★★

依頼を受けてから見積書を送るまでに時間がかかってしまったときのフレーズ。新製品の発表から間もない場合などに活用できる。

続けて、「よろしければ弊社社員がご説明に上がります」「ご質問などございましたら、後藤までご連絡ください」などとつけ加えてもいいだろう。

サンプル品を送るとき

商品のサンプルを送るなら、相手を意識した言い回しを工夫したい。さりげないアピールや気くばりのひと言は、相手の心に刺さるもの。

こちらがお約束していたサンプル品です。リニューアルで格段に向上した肌触り(はだざわ)りを、どうぞお確かめください。ご連絡をお待ちしております。

★

製品の長所を実際に試してわかってもらうのが、サンプルを送る目的。
「持ちやすい形状」「フローラルの香り」など、特徴を簡潔に表現するのがポイント。

もうちょっとカジュアルに

- 新製品のサンプルです。この香り、アロマに詳しい香川さんはどうお感じですか。ぜひ正直なところを聞かせてください。

新製品のサンプルができましたので、お送りします。久保様はその後、お変わりございませんでしょうか。来月にでもお目にかかれると幸いです。

★★

新製品のサンプル送付には、顧客との関係を維持し、新たな商談につなげる目的もある。顔馴染みであれば、名前を呼びかけてご機嫌伺いの挨拶を入れるのも手。

続けて、相手とアポイントを取りたい時期をざっくりと伝えるパターン。

福岡出張の折にはご厄介（やっかい）をおかけしました。あのとき話題にのぼった商品のサンプルをお送りします。お役に立てることがありましたら、なんなりとお申しつけください。

★★

相手の話をなおざりにせず、商品サンプルを送付することで誠実さもアピールする例。

「同シリーズには豊富なラインナップがございますので、ご興味がございましたらご一報ください」などと言い換えてもいいだろう。

新しいカタログを送るとき

新しくできたカタログを送る際は、相手との関係、相手が何を求めているのかを考え、気持ちの伝わるひと言を添えるようにしたい。

本年も冬ギフトにぴったりの商品を豊富に取りそろえました。自画自賛で恐縮ですが、すべて自信を持っておすすめできる商品でございます。

★★

相手が選ぶ商品が予測できない場合は、このように「すべて自信を持っておすすめできる」と言い切るのもひとつ。

定番商品、ロングセラーが多いなら、「多くのお客様からご支持いただいている選(え)り抜(ぬ)きの品々です」という言い回しも使える。

もうちょっとカジュアルに

●会社の新しいギフトカタログです。贈答品でいつも悩むと話していたので、よかったらパラパラとめくってみてください。

この度のリニューアルにより、長年ご愛顧くださっている南田様にはより一層ご満足いただけるものと確信しております。お問い合わせ、お申しつけを心よりお待ちしております。

★★

得意客に対しては、以前のカタログと違う点を強調したいもの。おすすめ商品に付箋をつけ、簡単な説明を記入したうえで、ひと言添えるといい。

また「なんなりとお問い合わせください」という言い回しもよく使われる。

皆様のニーズにお応えし、各種サービスのより一層の充実を実現いたしました。お気軽にお声がけいただけましたら幸いです。

★★

顧客のニーズを汲んでラインナップ数を増やすなどした場合の言い回し。

内容に合わせ、「バリエーションの拡大に努めました」「取扱品数の拡大を図りました」などとしてもOK。

新しい仕事を始めるにあたって

新規事業を始めるという案内は、商談に発展させるきっかけづくりとなる。面識のある相手には、熱量が伝わるような言葉でアプローチしたいところ。

さしつかえなければ、ぜひご挨拶を兼ねて貴社に伺わせてください。来週のどこかで1時間ほど頂戴できますか。

★

ストレートに熱意ある働きかけをするのもひとつの方法。
「詳しいご案内をする機会をいただければ幸いです」といったひと言もいい。

落ち着いた感じを出したいなら

- 島谷様のご都合のよろしいときに、ぜひともご挨拶に上がりたく存じます。お時間をいただけますようお願い申し上げます。

貴社のDX推進のお役に立てるものと確信しております。これを機に倍旧（ばいきゅう）のお引き立てを賜りたく、お願い申し上げます。

★★★

相手方の抱えている課題の解決に役立つとアピール。以前に相談などを受けていれば、具体的にその対策として有効だと訴えかけるといい。
「倍旧」とは以前よりも程度が増すという意味合い。

タイトなスケジュールが続きどうなることかと心配しましたが、新規事業が軌道に乗り、人心地（ひとごこち）ついております。

★

よく知っている相手に対して、新規事業の開始の挨拶とともに送る言葉の例。
事業の立ち上げに頑張っていたことを知る人には、その後の様子を伝えたい。
「順調な滑り出しとなり、ほっと一息ついています」「予想を超える反響に一同わいております」などのフレーズも使える。

お店をオープンしたとき

お店がオープンしたと知らせる場合は、相手の関心をひきそうなポイントを書き添える。プライベートで買い物に来てほしいときは、ぶしつけな調子にならないように気をつけたい。

遠藤様のお好みに合いそうなファッション雑貨も充実しております。お近くにいらっしゃる機会がありましたら、ぜひお立ち寄りください。

★

ある程度、親しい関係にある相手に使える言い回し。あまり親しくない人に使うと、「自分の好みを知らないだろうに」と、不信感を持たれるかもしれないので控えたい。

もう少し丁寧に伝えたい

- 遠藤様のお眼鏡にかなう商品もあるかと存じますので、お運びいただければ幸いでございます。

施設内には広々としたフードコートや休憩スポットなどもあり、休日には若いファミリー層でにぎわう楽しいエリアです。外出のついでに一度いらしてください。

★

親しい人への誘い。休日に子どもを連れて外出を楽しんでいると知っていれば、お出かけにぴったりとすすめることができる。

シングルなら「いま話題のおしゃれなエリアです」「デートスポットとしても人気です」などが口説き文句になる。

最寄り駅は恵比寿です。しばらくは新店舗に通いますので、そこから足をのばし、天野さんのお顔も拝見したいと願っております。

★★

新店舗から近い距離にある取引先などに使える。あなたにも会いに行きたいという気持ちを表わしながら、新店舗について案内するのも手。

本や資料などを貸すとき

毎日のように顔を合わせる社員とは、ちょっとした貸し借りをする機会もあるはず。気持ちの伝わる言葉を添えれば、株が上がるきっかけになる。

先輩から「読みたい」とリクエストを受けていた本です。どうぞ時間をかけて楽しんでください。

★

一筆箋に書いて本に挟(はさ)み、相手のデスクに置いておけばOK。友達宛てに送るときにも使える。
「どうぞ時間をかけて……」は、「急ぎませんから、ゆっくりどうぞ」と言い換えてもいい。

こんな「ひと言」アレンジも

- 先日、チーフとお話ししていたときに話題に上がった本です。よろしかったらお楽しみください。

三宅さんのお気に召すかな。感想を聞かせてくれるのを楽しみにしています。

★

本に限らず、DVDなどを個人的に貸す場合にも活用できる例。

「好みに合っているといいな」「どんなふうに感じるかな」などの表現も使える。

後半は、「お昼でも食べながら、感想を聞かせてね」「私も思い入れのある作品なので、感想を話し合う機会ができるとうれしい」などとアレンジしてもいい。親しくなるきっかけづくりになる。

藤田さんのお役に立ちそうな資料を見つけたので、よかったら参考にしてください。

★

同僚が取り組んでいる仕事の参考になりそうな資料を貸すと申し出るときの言い回し。「ABZのプレゼンに役立ちそうなデータ」「商談に使えそうなエネルギー関連のネタ」などと具体的に示せば伝わりやすい。

案内状や招待状を送るとき

紋切型の文章が印刷されたイベントの案内状や招待状を送る際、一筆箋や余白にひと言書き添えるだけで、受け取る側の印象は変わるもの。

ついに新製品をお披露目できます。日頃よりたいへんお世話になっている高田様には、いち早く、ぜひこの機会にご覧いただきたいと願っております。

★★

受け取った当人は、読みながら担当者の顔を浮かべているはず。
顧客を大切に思う気持ち、仕事に熱意を持って取り組んでいる様子が伝わる。

もうちょっとカジュアルに

- 百貨店のイベントスペースでの新商品発表会です。なかなか楽しめる演出なので、都合が合えばぜひ、のぞきに来てください。

毎年恒例の食の見本市に今年も出展いたします。試飲・試食できる商品も豊富にご用意しておりますので、皆様お誘い合わせのうえご来場くださいませ。

★★

実際にいろいろな商品を試すことができる機会は魅力。試飲や試食ができると書き添えると、まわりの人を誘って来てくれる可能性が高まるだろう。
「この機会にぜひ多くの方々に弊社の商品をお試しいただきたいと願っております」と言い換えてもいい。

いつもご贔屓(ひいき)いただいている川島様に、心からの感謝を込めたシークレットセールです。

★

手書きの文面なら、お得意様を大切にする気持ちが伝わりやすい。特別なお客様として感謝を示す表現により、シークレットセールへの期待も高まり、来場を促す効果が見込まれる。

「よろしく伝えてほしい」というときに

案件が一段落したときなどは、日頃やりとりしている担当者に対して、上司や同僚によろしく伝えてほしいと書き添えてみる。気遣いができている人物と映るはず。

どうぞ高橋課長に、くれぐれもよろしくお伝えください。

★

日頃の連絡の取り方にもよるが、担当者レベルのことだからと、上司を蚊帳(かや)の外に置いているように映る姿勢はよくない。

とくに一筆箋やハガキなど、相手の机の上に置いたままになる可能性があるものには、上司へのひと言を添えておくのがベター。

もうちょっとカジュアルに

- お父さま、お母さまによろしく伝えてください。また近いうちにお邪魔させてもらいます。

斉藤部長にはなかなかお目通りかないませんが、どうぞよしなにお伝えください。

★★

決裁権限のある人物に顔つなぎをしてほしい場合などに活用できる。上のポジションにいるので、そう簡単に会っていただけないことは承知していると、含みを持たせている。

「よしなに」とは、よろしく、よいようにという意味で、「よろしくお伝えください」ということ。

今回はマーケティング室の方々にたいへんお世話になりました。どうぞ皆様に心より感謝しているとお伝えくださいませ。

★★

先方の部署の何人もの人たちと仕事をした場合に、伝言を依頼するひと言。

できれば「マーケティング室の皆様のご尽力のおかげで、晴れて新製品デビューまでこぎつけることができました」というように具体的に表現したほうが気持ちは伝わりやすい。

食事に誘って親交をより深めたいとき

仕事関係の人と親睦を深めたくて食事に誘う場合、あまり前のめりにならず、はじめは反応を見る程度の文言(もんごん)がベター。SNS などで相手の食の好みをチェックしておくといい。

地中海料理がお好きと伺いました。美味しいお店を見つけましたので近々いかがでしょうか。

★

相手好みのジャンルで良い店を見つけたことを理由にして誘う言い回し。
「近々いかがでしょうか」と漠然とした言い方をしておくと、相手もプレッシャーにならずにすむ。
気乗りがしないなら「いまは忙しくて」などと断るはず。

もうちょっとカジュアルに

- 来月あたり仲間たちとバーベキューの予定があります。友達が友達を連れてくる気軽な集まりなので、よかったら参加しませんか。

まだ当分は身に沁みる寒さが続きそうですね。鍋でもつつきながら、積もる話ができればと願っております。

★

仕事上の連絡のやりとり程度で、しばらくじっくりと話せていなかった人への誘いの例。

「積もる話」という表現によって、話したいことがたくさんあると伝わる。

「しばらく酷暑が続きそうなので、冷えたビールで喉を潤しながら」「秋の味覚を一緒に楽しみながら」など、季節に合わせた誘い文句を工夫しよう。

日頃のお引き立てへの御礼として、一席設けさせていただきたいと考えております。

★★★

取引先を接待したいときの定番フレーズ。

「この度のお力添えへの感謝のしるしに」「今年１年間のご厚情(こうじょう)に感謝を込めて」などと、状況に合わせて言い換えられる。

後半は「宴(うたげ)の席を設けたく存じます」「お食事にお招きしたく存じます」などでもOK。

「会って話がしたい」と伝えたいとき

なかなか会えない相手とチャンスがあったのにすれ違ってしまうことはよくある。そんな場合は、「会って話がしたい」という気持ちだけでも、すみやかに伝える。

先日の祝賀会では、お目にかかれずたいへん残念でございました。ご多用とは重々承知しておりますが、ぜひともご尊顔（そんがん）を拝する機会をいただきたくお願い申し上げます。

★★★

ようやく会えると期待した機会で会えずじまいだったときに。ポジションが高く、年齢差も大きい相手であれば、これくらい丁寧な言い回しを使うのも手。
「近々お目通りの機会をいただければと願っております」と言い換えてもいい。

もうちょっとカジュアルに

- せっかく発表会に来てくれたのに、落ち着いて話もできず申し訳ない限り。挽回（ばんかい）のチャンスをください。

忘年会では、元気自慢のはずの私が体調不良で欠席してしまい、失礼いたしました。来週にでもご挨拶に上がります。

★

宴会など大人数が集まるときに病気などで欠席した場合の言い回し。

担当者の自分が欠席したことで相手を心許(こころもと)ない状況にしてしまった場合なら、「心よりお詫び申し上げます」と謝りの一文を。

遠路はるばるご来店いただきながら、おもてなしができず、誠に恐縮に存じます。どうかまたの機会をいただけますようお願い申し上げます。

★★★

遠くにいる顧客がわざわざ来店してくれたときに、不在にしていた場合の例。

また「本当に心苦しく思っております」など、残念でならないという気持ちが伝わる表現を工夫したい。

そのひと言に、気持ちを乗せるコツ⑤

ちょっと添えるには
便利な一筆箋

正式なビジネスレターでは基本、白い無地の用紙を使うが、何かに添え状をつけるときは一筆箋が役立つ。**書類や資料を送るときなど、一筆箋に手書きしたものを同封すれば温かみや気持ちが伝わりやすい**。

罫線のみが入った一筆箋でもいいが、季節感のある絵柄が入ったものを選ぶと、個性的な印象を演出できるだろう。猫好きだから猫柄、趣味が園芸だから植物柄など、相手の好みやイメージに合わせて選ぶのもGOOD。

一筆箋では、手紙の書き方の形式にとらわれる必要はない。１行目に宛名、２行目に「平素よりお世話になっております」などと簡単に挨拶を書き、趣旨を簡潔に伝える。読みにくくならないように、基本的に絵柄には文字がかからないように。

また、伝えることが多い場合は、一筆箋ではなく便箋を使ったほうがいい。一筆箋に４枚にも５枚にもわたって綴るのは、不格好に映る。

教養としての「12カ月の書き出しと結び」

1月の書き出し

ようやくお正月気分も抜け、気持ちを新たにしているところです。

★★

「その時期ならではの言葉」と「前向きな気持ち」を組み合わせたパターン。「お正月気分」は「お屠蘇(とそ)気分」と言い換えてもOK。

友人に向けてなら、「年初めの浮かれ気分もようやく抜けて、気分を上げているところ」とアレンジ。

別パターンとして、「その時期の花＋前向きな気持ち」の組み合わせも広く使える。

もう少し丁寧に伝えたい

- 成人式のニュースに触れ、５年前の己(おのれ)の新成人の誓いを思い起こしております。
- 寒椿(かんつばき)の花を見て、厳しい寒さに負けじと気持ちを引き締めています。
- 昨日、当地では風花が舞い、冬の風情も良いものだとしばし見とれておりました。

年明けから例年に増して冷え込みましたが、皆様お変わりございませんでしょうか。

★★★

こちらは「天候の特徴」と「相手への気遣い」という組み合わせのパターン。「お障(さわ)りないですか」と言い換えてもいい。

「～の候(こう)、いかがお過ごしでしょうか」というポピュラーな時候の挨拶と同じように広く活用できる。

もうちょっとカジュアルに

- 大寒を過ぎて身の縮むような寒さ、風邪をひかないように気をつけましょう。
- 鏡開きでお汁粉は食べましたか。無病息災(そくさい)でありますように！

1月の言葉

睦月(むつき)、初春月(はつはるづき)、南天、福寿草、冬木立(ふゆこだち)、あんこう鍋、ふぐ鍋、冬籠(ごも)り、雪模様、雪暗(ゆきぐれ)、

上旬／新春、初春、初詣、門松、初夢、お雑煮、小寒・寒の入り(5日頃)、七草(7日)、松の内(1～7日)

中旬／鏡開き(11日)、小正月・どんど焼き(15日)

下旬／大寒(20日頃)、奈良の若草山焼き(第4土曜日)、初天神(25日)

2月の書き出し

立春を過ぎ、春の近づく足音に耳を澄ませる日々です。

★★

「寒いですね」が挨拶代わりに使われる時期でも、「寒さが厳しくて耐えられない」というマイナスイメージの言葉よりは、前向きな言い回しを使いたい。

相手も明るい気持ちになれる。春の訪れへの期待を表現するといい。

梅などの花の開花、うぐいすの声など、春到来のシンボルとなる自然の変化を挙げる方法も広く使える。日頃から庭や公園の様子に目を向けておくと役立つ。

友人に使えるこんな「ひと言」

- 梅には春告草（はるつげぐさ）の異称があるとか。もう梅の花を見つけましたか。
- 近所の公園の梅が満開。甘いかぐわしさが、春の訪れを教えてくれました。
- うぐいすの声を聞くと、「もう春だよ」と元気づけられた気分になります。

桃の節句も近づく頃となりました。お変わりございませんか。

★★

その時期の年中行事やイベントを取り上げ、季節の挨拶にするパターン。桃の節句は3月だが、雛(ひな)人形は立春以降には飾るので、とくに女の子がいる相手には、2月から使えるフレーズ。

もう少し丁寧に伝えたい

- 春寒の候、いかがお過ごしでしょうか。
- 暦のうえでは春、お宅のお庭もそろそろ彩り始めた頃でしょうか。

2月の言葉

如月(きさらぎ)、梅見月、初花月、雪消月(ゆきぎえづき)、麗月(れいげつ)、探梅(たんばい)、下萌え(したもえ)、春隣(はるとなり)、白魚、わかさぎ、ぽんかん、伊予柑(いよかん)

上旬／節分、豆まき(ともに3日頃)、立春(4日頃)、春寒、残寒、余寒、寒の戻り、春一番(以上、立春以降)

中旬／雨水(うすい)(19日頃)、バレンタインデー(14日)

下旬／閏日(うるうび)(4年に一度の29日)、うぐいす

3月の書き出し

ひと雨ごとに寒さも緩(ゆる)み、心の浮き立つ季節になりました。

★★

3月は春の訪れを喜ぶ気持ちを分かち合うつもりで、ひと言投げかける。前半の「ひと雨ごとに寒さも緩み」を、「うららかな春の陽光に」「春の彩りと香りに」などと言い換えてもOK。

後半の「心の浮き立つ季節」については、「わくわくと心が弾む季節」「何とはなしに胸が躍る時期」などとアレンジ可能。気分にぴったり合う表現を探してみたい。

友人に使えるこんな「ひと言」

- 今日は陽だまりのぬくもりがうれしくて、公園のベンチでお昼を広げました。
- 春の山菜を美味しく味わいながら、自分も大人になったものだと独りごちています。
- 彼岸のあたたかい陽ざしに誘われて、早春の海を眺めに行きました。

来週には桜が満開になるとの予想です。お花見はなさいましたか。

★★

桜の開花状況がニュースになる時期は、「つぼみがほころんだ」「咲き始めた」「五分咲き」「七分咲き」「満開」と、それだけで季節の挨拶に。遠くに住む人には「そちらでも咲き始めた頃でしょうか」などと問いかけてみるのもいい。

もうちょっとカジュアルに

- 首を長くして花の便りを待つ日々。今年は一緒にお花見をしませんか。
- 裕子さんのとっておきの桜の名所といえば、どちらでしょう。

3月の言葉

弥生(やよい)、桃月、雛月(ひいなつき)、桜月、花見月、夢見月、淡雪、東風(こち)、沈丁花(じんちょうげ)、木蓮(もくれん)、こぶし、山菜、菜の花、はまぐり、あさり

上旬／桃の節句(3日)、啓蟄(けいちつ)(5日頃)

中旬／ホワイトデー（14日)、彼岸の入り(17日頃)

下旬／春分の日(20日頃)、彼岸の明け(23日頃)、菜種梅雨(なたねづゆ)

4月の書き出し

春たけなわ、新年度が始まり、張り切っていることと思います。

★★

はじめの「春たけなわ」は、「春うらら」「春爛漫（らんまん）」「うららかな春」「春もまっさかり」などと言い換えることもできる。

春の盛りの4月は、草花、木々、昆虫も鳥も生命が躍動する時期。相手の置かれた状況を結びつけて、言葉を紡（つむ）ぐといい。

転勤、異動があった人には「新天地でのスタートに張り切っていることでしょう」「新天地での活躍を祈ります」などとアレンジできる。

落ち着いた感じを出したいなら

- 春爛漫の候、ますますご活躍のことでしょう。
- 川面の花筏（はないかだ）に季節の移り変わりを感じる今日この頃、お健（すこ）やかにお過ごしでしょうか。
- 山笑う季節を迎え、お元気に活動なさっていることと存じます。

新入生の初々しい姿を見かけては、初心忘るべからずと自らに言い聞かせるこの頃です。

★★

通勤電車でも街を歩いても、新入生や新入社員の姿が目につく４月。

真剣な面持ちに新人時代を思い出し、自分自身も気持ちを新たにしていると伝えるフレーズ。ビジネスで使えば謙虚で前向きの姿勢が伝わる。

もうちょっとカジュアルに

- 毎朝、ランドセルを背負った新１年生が一生懸命挨拶する姿に元気をもらっています。
- 陽気に誘われ、寒がりの私もダウンコートからスプリングコートへと切り替えました。

４月の言葉

卯月（うづき）、卯花月、花残月（はなのこりづき）、木葉採月（このはとりづき）、余月（よげつ）、陽春、春麗、牡丹、チューリップ、おぼろ月、つばめ

上旬／花筏、花屑（はなくず）、花衣（はなごろも）、花吹雪、桜雨、清明（せいめい）(4日頃)、玄鳥至（つばめきたる）(5～9日頃)、灌仏会（かんぶつえ）(仏生会、花まつり・8日)

中旬／鴻雁北（こうがんかえる）(10～14日頃)、筍（たけのこ）掘り

下旬／穀雨(20日頃)、霜止出苗（しもやみてなえいずる）(25～29日頃)

5月の書き出し

黄金週間も過ぎ、企画部の皆さんもリフレッシュして活気に満ちていることと存じます。

★★

黄金週間とは、もちろんゴールデンウィークのこと。休み明けの職場の様子を前向きに捉（とら）えた言い回し。

後半を「旅行の土産話で盛り上がっているところでしょうか」「休暇を存分に楽しんで英気を養ったことでしょう」などと言い換えることもできる。

端午（たんご）の節句も男の子のいる家庭では大事な年中行事。5日前後には、格好のテーマとなる。

友人に使えるこんな「ひと言」

- 鯉のぼりがたなびくさまにトシ君の愛らしい姿が浮かび、健やかな成長を願いました。
- 端午の節句は親子で菖蒲湯（しょうぶゆ）に入り、にぎやかに過ごしたことでしょう。
- 八十八夜が過ぎ、風薫る5月はスポーツを楽しむのに絶好の時期ですね。

新緑の香りを胸いっぱいに吸い込むと、身体の隅々まですっきりした気分になるから不思議です。

★

「新緑の香り」は、「青葉の香り」「木々の若葉の香り」「さわやかに香る風」などに換えてもいい。

この時期に開花するバラや藤の香りに換えて、「幸せな気分になります」「夢心地にひたっています」などと続けるのもOK。

落ち着いた感じを出したいなら

- 風光る五月、心地よい季節となりました。
- 「目には青葉　山ほととぎす　初鰹(はつがつお)」、江戸っ子の気分で楽しみたい時期になりました。

5月の言葉

皐月(さつき)、早苗月(さなえづき)、橘月、五月雨月(さみだれづき)、雨月(うげつ)、翠雨(すいう)、青雨(せいう)、新緑、薫風(くんぷう)、惜春(せきしゅん)、つつじ、さつき、藤、バラ

上旬／八十八夜(2日頃)、新茶、みどりの日、立夏(5日頃)、端午の節句(5日)、鯉のぼり、柏餅、ちまき、菖蒲

中旬／愛鳥週間、京都・葵祭(あおいまつり)、浅草・三社祭(さんじゃまつり)

下旬／小満(しょうまん)(21日頃)、湯島・天神祭(25日)、走り梅雨

6月の書き出し

梅雨の晴れ間が待ち遠しいこの頃ではありますが、つつがなくお過ごしでしょうか。

★★★

梅雨時は「鬱陶(うっとう)しい天気が続きますが」とため息混じりの表現をしがち。ときには「晴れ間が待ち遠しい」と言い替えてみると、共感を呼びやすい。

前半は「梅雨寒で上着が必要な日が続きますが」「長雨が続いておりますが」などとアレンジすることもできる。

また、「つつがない」は、問題なく平穏無事、順調であるという意味。

もうちょっとカジュアルに

- 五月雨(さみだれ)の音に遠くから雷が加わって、穏(おだ)やかでない空模様です。
- ここまで空梅雨(からつゆ)が続くと、田園地帯の作物の生長が気になりますね。
- 待望の梅雨の晴れ間に、ようやく衣替えをすませました。

雨に濡れた紫陽花（あじさい）を見て、この時期ならではの風情を楽しんでいます。

★★

日本では古くから、梅雨ならではの景色や風情を愛（め）で、楽しんできた。梅雨時の花といえば紫陽花を連想する人が多いはず。

「通勤時のカラフルな傘の花に」「雨上がりの緑に」などとアレンジする手もある。

こんな「ひと言」アレンジも

- ご近所から青梅をたくさん頂戴し、今年は梅酒づくりに挑戦します。
- 麦は初夏の実りの象徴、花言葉は富や繁栄、裕福、希望だそうです。

6月の言葉

水無月（みなづき）、涼暮月（すずくれづき）、葵月（あおいづき）、水月（すいげつ）、向暑、薄暑、梅雨、五月雨、五月晴れ、梅雨寒（つゆざむ）、空梅雨、麦秋、麦刈り、田植え、紫陽花、青梅

上旬／衣替え（更衣（こうい）・1日）、芒種（ぼうしゅ）（6日頃）

中旬／時の記念日（10日）、入梅（11日頃）

下旬／夏至（21日頃）、夏越（なごし）の祓（はらえ）（30日）、ほおづき縁日

7月の書き出し

盛夏が近づき、出勤の道すがら陽射しの強さを感じるようになりました。皆さんお変わりありませんか。

★★

季節の変化について、自分なりの実感を織り込むところがポイント。

冒頭を「いよいよ夏も本番」「ついに梅雨も明け」、続く部分を「電車内でも首筋が焼けるような陽射しの強さです」「うっかりして運転中に片腕だけ日焼けしてしまいました」などと換えてもいい。

「暑中お見舞い申し上げます」の挨拶をするのは、7日頃の小暑（しょうしょ）から8月7日頃の立秋まで。

落ち着いた感じを出したいなら

- ベランダの日除けとして緑のカーテンに仕立てた朝顔が花をつけ始めました。
- 風鈴市で子どもが選んだ風鈴を軒下に下げ、涼やかな音を楽しんでおります。
- 青い空にもくもくとふくらむ入道雲に夕立を祈りつつ、家路を急ぎました。

いよいよ海開き、大人になっても心が弾(はず)んでしまうのはなぜでしょう。

★

夏を迎え、海に山にと出かける人は話題に事欠かない。山が好きなら「山開き」とすればOK。

すでに出かける予定があるなら、後半を「週末は房総に向かいます」「伊豆でダイビングです」などと具体的なひと言を加えるのもいい。

こんな「ひと言」アレンジも

- さわやかな高原に心惹(ひ)かれる時期となりました。
- もうすぐ七夕、天気予報では織姫と彦星の逢瀬がかないそうです。

7月の言葉

文月(ふみづき)、七夕月、愛逢月(めであいづき)、七夜月(ななよづき)、盛夏、炎暑、酷暑、朝顔、夕顔、すいか、うなぎ、お中元

上旬／海開き・山開き(1日)、半夏生(はんげしょう)(2日頃)、小暑(7日頃)、七夕(7日)、浅草・ほおずき市(9・10日)、朝顔市

中旬／盂蘭盆会(うらぼんえ)(迎え火13日～送り火16日)、海の日(第3月曜)

下旬／土用(どよう)(20日頃～ 8月6日頃)、大暑(たいしょ)(23日頃)

8月の書き出し

向日葵（ひまわり）もうなだれる酷暑、どんなふうにしのいでいますか。

★

冒頭の部分は「灼熱の太陽が照りつけるなか」「アスファルトに陽炎（かげろう）揺れる厳暑」「猛暑日が続き」などでもOK。

ビジネスなどで少し丁寧な言い方をするなら、後半を「いかがおしのぎでしょうか」とアレンジを。

7日頃の立秋を過ぎると、「暑中お見舞い」ではなく「残暑お見舞い申し上げます」の挨拶が使われる。こちらは一般的に8月いっぱいまでの挨拶。

もう少し丁寧に伝えたい

- 立秋とは名ばかりの酷暑が続き、暑気払いはやはりビールでしょうか。
- お盆休みは例年通り家族そろってご旅行でしょうか。
- 打ち水も熱帯夜にはかなわず、冷やしたスイカやトマトに元気をもらっております。

つくつくぼうしの声に、夏負け気味の心と体が少しの安堵を感じる頃となりました。

★★

8月中旬からは秋に向かう兆(きざ)しが目につくようになる。アブラゼミやミンミンゼミ、ヒグラシの鳴く声につくつくぼうしが加わったら、秋が近づいている証。「とんぼの姿に」「青い稲穂に」などとアレンジもできる。

こんな「ひと言」アレンジも

- 晴れた星月夜を見上げ、秋の兆しを感じました。
- 暑さも峠を越えたものと祈るばかりです。

8月の言葉

葉月、木染月(こぞめづき)、秋風月、月見月、雁来月(かりきづき)、暑気払い、残暑、晩夏、残夏、蜻蛉(かげろう)、桃、ぶどう、盆踊り
上旬／青森ねぶた祭(2～7日)、立秋(7日頃)
中旬／高知よさこい祭り、山の日(11日)、徳島阿波おどり(12～15日)、旧盆(13～16日)、五山送り火(16日)
下旬／処暑(23日頃)

9月の書き出し

秋晴れが心地よい季節、お元気ですか。

★

9月に入り、暑さが一段落して秋めいた頃にしっくりくる言い回し。前半は「暑さがやわらぐ季節になり」「すっかり秋めいてきましたが」「秋の色が深まるこの頃」などと言い換えることもできる。

また、暑さがしつこく残っている場合、「暑さの名残に秋涼が待たれるこの頃」「厳しい残暑が続きますが」などとアレンジすればOK。

もう少し丁寧に伝えたい

- コスモスが風に揺れる時期、お元気でいらっしゃいますか。
- 高い空にいわし雲が浮かぶ秋の日、いかがお過ごしですか。
- 「暑さ寒さも彼岸まで」の言葉に期待をかけるほど残暑が続きますが、変わりはないでしょうか。

虫の音に秋の深まりを感じつつ、読みさしの本を並べて読書計画を新たにしております。

★★

秋の夜長は読書にぴったり。過ごしやすい季節だけに「食欲の秋」「スポーツの秋」「芸術の秋」ともいわれる。

自分の趣味、新たなチャレンジなどを表現して、近況を伝えたい。

友人に使えるこんな「ひと言」

- 天高く馬肥（うまこ）ゆる秋、私も秋の味覚を存分に楽しんでいます。近々、ジムにつき合ってください。
- 涼風吹く週末、近所の公園でランニングを楽しみました。

9月の言葉

長月（ながつき）、菊月、紅葉月、初秋、新秋、秋涼、秋冷、涼風、野分（のわき）、秋雨、いわし雲、曼珠沙華（まんじゅしゃげ）（彼岸花）、コスモス、秋の七草、梨、栗、松茸、秋刀魚（さんま）

上旬／白露（はくろ）（8日頃）、重陽（ちょうよう）の節句（9日）

中旬／十五夜

下旬／彼岸（20～26日頃）、秋分の日（23日頃）

10月の書き出し

さわやかな日が続き、実りの秋を満喫されているでしょうか。

★★

冒頭の部分を「秋晴の候」「秋麗（あきうらら）の候」などと換えると、フォーマルな印象になる。よく晴れてさわやかな天気を表わす「秋日和（あきびより）」を使い、「秋日和の気持ちよい日が続き」と言い換えてもいい。

後半の「実りの秋」についても、「秋の味覚」「新米や旬の魚介」「旬のフルーツ」「金木犀（きんもくせい）の香り」などと換えることができる。

こんな「ひと言」アレンジも

- 夏場の水不足で心配でしたが、予想を超える豊（とよ）の秋だそうですね。
- 赤く熟れた鈴なりの柿を見かけました。柿はもう召し上がりましたか。
- 秋も深まり日の入りが早くなってきましたが、ご機嫌いかがですか。

店先でちょっと不気味なハロウィンのかぼちゃと出合うことが増えましたね。

★

いつの間にか10月末のイベントとして定着したハロウィン。「ジャックオーランタン」という名称を出して「かぼちゃをくり抜いて、ジャックオーランタンづくりに挑戦しようと計画中です」などと表現するのもいい。

友人に使えるこんな「ひと言」

- ここのところ、子どもたちとハロウィンの飾りつけをして楽しんでいます。
- 冬鳥が飛来する時期となり、公園を散策する楽しみが増えました。

10月の言葉

神無月(かみなづき)、時雨月(しぐれづき)、初霜月、錦秋(きんしゅう)、秋冷、秋麗、秋日和、秋霧(あきぎり)、新米、菊、金木犀

上旬／衣替え(1日)、水始涸(みずはじめてかるる)(3～7日頃)、長崎くんち(7～9日)、寒露(かんろ)(8日頃)、鴻雁来(こうがんきたる)(8～12日頃)

中旬／芭蕉忌(ばしょうき)(12日)、菊花開(きくのはなひらく)(13～17日頃)、十三夜

下旬／霜降(そうこう)(23日頃)、ハロウィン(31日)

11月の書き出し

銀杏(いちょう)並木の変わりゆく彩りに、冬の寒さが日に日に近づいていることを感じます。

★★

勤め先や住まいの近くの銀杏並木の黄葉(こうよう)を、毎年、楽しみにしている人は多い。

落葉する時期になったら、前半を「舞い散る銀杏の葉が金色に輝き」「銀杏の黄金色の絨毯(じゆうたん)を踏みしめて」などとアレンジするといい。

山の紅葉を見に行く紅葉狩りも、晩秋の楽しみ。美しい絹織物を表わす「錦繡(きんしゆう)」は紅葉のたとえにも使われ、「錦繡の山を見に行きます」と表現することができる。

こんな「ひと言」アレンジも

- 街路樹の葉が日に日に色づき、毎朝、出勤の足をとめしばし見惚(ほ)れています。
- 谷川岳の燃えるような紅葉は、息をのむ美しさでした。
- 北風に落ち葉が舞い、彩りを失った街の木々が早くも寒そうな佇(たたず)まいです。

木枯らし1号の知らせがありました。すでに冬支度は万全でしょうか。

★★

木枯らしは北よりの強い風。秋から冬へ向かう頃に初めて吹くと木枯らし1号といわれる。
「木枯らしが吹きすさぶ時期になりました」、また「初霜が降りました」「初雪が舞いました」などの言い回しも使える。

もうちょっとカジュアルに

- 昨日は小春日和、貴重なあたたかい日をどう過ごしましたか。
- 街に黒いコート姿が目立ち始め、気持ちを盛り上げるのに赤い帽子と手袋を新調しようかと考えています。

11月の言葉

霜月(しもつき)、霜降月(しもふりづき)、神楽月(かぐらづき)、雪待月(ゆきまちづき)、深秋、暮秋、霜冷(そうれい)、冷雨(れいう)、向寒(こうかん)、夜寒、小春日和、紅葉狩り、酉の市、落葉、錦繡、黄落(こうらく)、木枯らし、山茶花(さざんか)、落花生
上旬／楓蔦黄(もみじつたきばむ)(2～6日頃)、立冬(8日頃)
中旬／炉開き(亥の日)、七五三(15日)
下旬／小雪(22日頃)、新嘗祭(にいなめさい)(23日)

12月の書き出し

クリスマスカラーの街につむじ風が吹き抜けるなか、日々ご多用のことと思います。

★★

前半は「師走(しわす)に入り」とするのが定番なだけに、少し工夫をしたいところ。「クリスマスソングが流れるなか」「1年を締めくくる時期となり」としてもいい。「暮古月(くれこづき)も半ばを過ぎ」「歳末の候」なども活用できる。

気の置けない相手であれば、後半を「日々走り回っているでしょうか」「何かと気ぜわしい毎日でしょう」などと置き換えてもOK。

もうちょっとカジュアルに

- 年の瀬は書き入れどき、サンタさんの手を借りたいほどの忙しさでしょうか。
- 忘年会にクリスマス、新年の準備にと飛び回っていることでしょう。
- 今年も残すところあとわずかになり、いつにも増してスケジュールが詰まっているのでしょうね。

大雪（たいせつ）が過ぎ、白銀のゲレンデを思い浮かべてそわそわしています。

★

スキー、スノボを楽しむ友達同士なら、「近いうちにどうですか」と続けて誘うと自然な流れに。

スキー場と縁がない人は、後半を「楽しく年忘れをしたい気分です」「鍋物がうれしい時期となりました」などとするといい。

落ち着いた感じを出したいなら

- 今日は冬至、柚子（ゆず）湯でぬくもり、邪気を払うことにします。
- 寺社の煤（すす）払いのニュースを見て、あわてて大掃除の計画をたてました。

12月の言葉

師走、氷月（ひょうげつ）、春待月、暮古月、暮歳（ぼさい）、霜寒（そうかん）、新雪、歳末、冬将軍、冬日和、霜夜（しもよ）、年用意、忘年会、シクラメン

上旬／橘始黄（たちばなはじめてきばむ）(2～6日頃)、大雪(7日頃)

中旬／熊蟄穴（くまあなにこもる）(12～16日頃)、赤穂義士（あこうぎし）祭(14日)、浅草寺（せんそうじ）歳の市(17～19日)、煤払い

下旬／冬至(22日頃)、クリスマス(25日)、大掃除、御用納め(28日)、大晦日（おおみそか）(31日)

春の挨拶文の結び

春は気象病に用心といいます。どうか無理しないでくださいね。

★

あたたかくなるのは歓迎でも、春先の安定しない天候に体調を崩す人が多いのは事実。

前半は「季節の変わり目です」「三寒四温の時期ですから」「落ち着かない天気が続きます」などと言い換えてもOK。

結びの一文として、相手の健康への気遣いは定番。

目上の人には「ご自愛ください」「お気をつけください」「気をつけてお過ごしください」などとアレンジすればいい。

落ち着いた感じを出したいなら

- 花冷えの時期には、いつも以上に体調管理に気をつけましょう。
- 春まだ浅い時期に油断は禁物、一枚羽織ってあたたかくお健やかにお過ごしください。
- 朝夕には気温が下がりますから、どうかご自愛のほどを。

春の陽気に誘われて、ランニングを始めました。走っていると景色が違って見えるから不思議です。

★★

自身の近況を伝える結びのパターン。季節の変化により興味を持ったこと、始めたこと、しみじみと感じる実感、心に決めたことなどを、簡潔に伝える。

「ランニング」を「ウォーキング」として「早足で歩いていると」と換えてもいいし、「自転車通勤」としてもいい。

「週末は海までドライブしました。キラキラ輝く海面がきれいでした」といった報告でもOK。

また、新年度で大きな変化がある相手には、応援の言葉を添えたい。

友人に使えるこんな「ひと言」

- 桜のつぼみがふくらみ始めると、もう春だよと励まされる気がします。
- 卒業から三度目の芽吹きの季節、自然とともに我々も芽を出して大きく成長したいものです。
- 新年度は何かと気を張ることが多いもの。ときには大きく伸びをしてリラックスしましょう。
- 4月からの新生活、応援しています。
- 新たな門出を祝い、活躍を祈っています。

夏の挨拶文の結び

そろそろ夏本番、今年はどんな夏になるかと楽しみです。

★

夏の暑さに強く、元気な人にぴったりの結び。

子どもがいる人なら後半を「どんな思い出ができるかと楽しみです」「子どもたちが絵日記のネタに困らないように、夏のお楽しみをあれこれ計画中です」などとするのもいい。

何か計画があるなら、「今年はプールに通い、背泳ぎをマスターします」「今年は月2で仲間とハイキングに行こうと計画しています」などとアレンジを。

こんな「ひと言」アレンジも

- 夏の盛り、ベランダでのビールと枝豆を活力源にしています。
- この夏は、久しぶりに花火大会に出かけて存分に楽しみたいと思っています。
- あっという間に夏休みも終盤、遊びほうける子に何度「宿題は？」と聞いたことでしょう。気が遠くなりそうです。

夏風邪などひかないよう冷房の設定温度には気をつけましょう。

★

人それぞれ快適と感じる冷房の設定は違うもの。熱帯夜に冷房の効きすぎで風邪をひく人も少なくないので、こんな言い回しで相手への気遣いを見せるのもいい。

もう少し丁寧な表現にするなら、「夏風邪など召されませんよう冷房の効きすぎにはどうかお気をつけください」という言い方ができる。

反対に冷房嫌いの人には「熱中症対策にはやはり冷房利用がベスト。どうか体調にご留意ください」と注意喚起をする手もある。

もう少し丁寧に伝えたい

- 適度な水分・塩分、そして栄養補給。工夫を重ねてこの炎暑を乗り越えたいと頑張っております。
- 本日、炎天下の街中を汗だくで歩きながら、東京は熱帯と確信いたしました。
- 冷房の効いたオフィスでは足元から冷えるとの声も耳にいたします。どうかお気をつけください。
- まだ猛暑日が続く予想です。くれぐれもお身体を大切になさってください。

秋の挨拶文の結び

酷暑に耐えた疲れが出やすい時期、たまにはスローダウンして自分をいたわってね。

★

最近では、秋になって出る疲れやだるさ、不調をさして「秋バテ」という言葉も使われている。秋バテしないようにとの気遣いが、秋の結びのひとつのパターン。

いつも頑張っている友人には「たまにはスローダウンして」と呼びかけるのもいい。

あまり丈夫でない人には「身体が冷えないように気をつけて」と言い換えもOK。

落ち着いた感じを出したいなら

- 寒さに向かう時節柄（じせつがら）、ふだん以上のセルフケアを心がけて健康を保ちましょう。
- 近頃は「秋バテに注意」とよく耳にします。くれぐれもお大事になさってください。
- 忍び寄る寒さには早めの対策でお健やかに。

秋の夜長、おすすめいただいたドラマを見始めました。

★

さわやかな天候の秋ならではのこと、秋らしいことをしていると伝える近況報告のパターン。

後半を「ようやくおすすめの本を読み始めたところです」「人気の動画を見ているとつい夜更(ふ)かししてしまいます」などと、状況に合わせてアレンジするといい。

冒頭の部分も、「しのぎやすい季節になり」「外出が心地よい時期だけに」などと言い換えが可能。

こんな「ひと言」アレンジも

- 近所に産直の食材が並ぶ店ができました! 実りの秋を貪欲に(?)楽しんでいます。
- 毎日の帰り道、秋の澄んだ夜空を見上げては月を観賞しています。
- 深まりゆく秋、枯葉が舞い散ると柄にもなくほんの少し感傷的になります。
- 近くの公園で拾ったどんぐりをデスクに並べて置いたら、愛着がわいてきました。

冬の挨拶文の結び

日ごと募る寒さに負けないよう、あたたかくして過ごしましょう。

★

冬の結びは、やはり寒さへの用心が定番。前半は「忍び寄る寒さに負けず」「厳しさを増す寒さに用心して」などと言い換えることもできる。

後半は、相手が友達なら「頑張りましょう」「踏ん張っていきましょう」としてもいい。

一方、「気をつけてお過ごしください」「お体を大切に」「皆様お元気で」などとすれば、丁寧度が少しアップする。

もう少し丁寧に伝えたい

- 夜寒(よさむ)にはくれぐれもお気をつけください。
- 今冬もインフルエンザが流行しております。お大事にお過ごしください。
- 熊なら冬ごもりする時期、人も無理することなく大事に過ごしたいところです。

1年を振り返るにつけ、感謝が込み上げてまいります。心より御礼申し上げます。

★★★

12月、年間を通してお世話になった相手への結びとして使える。もう少しカジュアルな言い方にするなら、「この1年を振り返り、ただただ感謝の念でいっぱいです。本当にありがとうございました」とすればOK。

また、年が明けたら、「本年も変わらぬお引き立てのほどお願い申し上げます」「今年も変わらぬご支援のほどよろしくお願いいたします」などが使える。

もうちょっとカジュアルに

- 1年を締めくくるパーティシーズンです。食べすぎ・飲みすぎにはご用心！
- 皆様のハッピーな年越しを祈っています。
- 良い年になるようお互い励みましょう。
- 今年の目標は、初対面の人と会話が続くようにすること。今度、会話術についてアドバイスをください。

そのひと言に、気持ちを乗せるコツ⑥

自分らしさを表現する季節の言葉探し

「時候の挨拶なんて面倒だしよくわからない。手紙はちょっと……」と躊躇してしまう人は多いはず。たしかに手紙には基本的な形式がある。前文、主文、末文で構成され、このうち前文に入るのが、時候や相手の近況を尋ねる挨拶である。ただ、時候の挨拶は決まった言葉しか使えないわけではない。6章で紹介したフレーズを参考にしながら、自分らしい表現を見つけてほしい。

そのために日頃から季節感を養うこと。**近所の公園や庭に咲く花、木々の様子、人々の服装などを意識して見てみよう**。電車やバスでもたまにはスマホから目を上げて乗客や車窓を眺めてみる。

また、自分の気持ちにぴったりくる俳句を挨拶代わりに活用するのもいい。歳時記から気に入った言葉を探してみるのも、ひとつの手だろう。

ほかにも、例えば「3月1日はマヨネーズの日」など、「今日は何の日」かをチェックするのも役立つ。いろいろな記念日があり、ひと言の材料探しには事欠かない。

【参考文献】

『好かれる大人の話し方・書き方・ふるまい方』ロム・インターナショナル編（三栄書房）／『やさしさを贈るお礼のハガキ集』佐竹茉莉子（泰光堂）／『心にひびく手紙の書き方』秋庭道博（ロングセラーズ）／『すてきな花言葉と花の図鑑』川崎景介監修（西東社）／『季節のことばで美しく 手紙の書き出しと結び文例集』池田書店編集部編（池田書店）／『これ１冊で！ 人間関係に効く「大人の語彙力」手帖』『これ１冊で！ 短いのに伝わる「お仕事メール」便利帖』ベスト・ライフ・ネットワーク（以上、大和書房〈だいわ文庫〉）／『すごく感じのいい人のものの言い方ハンドブック』日本の「言葉」倶楽部（三笠書房〈知的生きかた文庫〉）

本書は、本文庫のために書き下ろされたものです。

大人の「ひと言」ハンドブック

著者　博学面白倶楽部（はくがくおもしろくらぶ）
発行者　押鐘太陽
発行所　株式会社三笠書房
〒102-0072 東京都千代田区飯田橋3-3-1
電話　03-5226-5734（営業部）03-5226-5731（編集部）
https://www.mikasashobo.co.jp
印刷　誠宏印刷
製本　ナショナル製本

 ISBN978-4-8379-3061-7 C0130

＊落丁・乱丁本は当社営業部宛にお送りください。お取替えいたします。
＊定価・発行日はカバーに表示してあります。

気くばりがうまい人のものの言い方

山﨑武也

「ちょっとした言葉の違い」を人は敏感に感じとる。だから……　◎自分のことは「過小評価」、相手のことは「過大評価」　◎「ためになる話」に「ほっとする話」をブレンドする　◎「なるほど」と「さすが」の大きな役割　◎「ノーコメント」でさえ心の中がわかる

使えば使うほど好かれる言葉

川上徹也

たとえば、「いつもありがとう」と言われたら誰もがうれしい！　◎会ったあとのお礼メールで⇨次の機会も「心待ちにしています」　◎お断りするにも⇨「あいにく」先約がありまして……人気コピーライターがおしえる「気持ちのいい人間関係」をつくる100語。

週末朝活

池田千恵

「なんでもできる朝」って、こんなにおもしろい！　○「朝一番のカフェ」の最高活用法　○今まで感じたことがない「リフレッシュ」　○「できたらいいな」リスト……週末なら、時間も行動も、もっと自由に組み立てられる。心と体に「余白」が生まれる59の提案。

K30642